Muintir
an Ghleanna

Caitlín Bheití Ní Chuireáin

ÉABHLÓID

MUINTIR AN GHLEANNA
Arna chur i gcló in 2019 den chéad uair ag
Éabhlóid
Gaoth Dobhair
Tír Chonaill

www.eabhloid.com

Cóipcheart © Caitlín Bheití Ní Chuireáin, 2019
Leagan amach, clóchur agus dearadh clúdaigh: Caomhán Ó Scolaí
Buíochas le Mícheál Ó Domhnaill

ISBN: 978-0-9956119-8-6

Arna chlóbhualadh in Éirinn ag Johnswood Press Ltd.

Tá Éabhlóid buíoch d'Fhoras na Gaeilge
as tacaíocht airgeadais a chur ar fáil.

Foras na Gaeilge

Buíochas

Ba mhaith liom buíochas mór a thabhairt do m'fhear céile, Jim, a bhí ansin i gcónaí le mo mhisneach a ghríosú, agus do mo chlann uilig, go speisialta m'iníon Elizabeth, a chuidigh liom go minic. Go raibh míle maith agaibh.

Do mo gharpháistí.

Réamhrá

Tá an scéal beag seo bunaithe ar shlí bheatha na ndaoine a raibh cónaí orthu sa Ghleann s'againne in uachtar Mhín an Chladaigh. Scéalta agus seanchas ag gabháil siar go dtí am m'athara agus m'athara móire agus an mhuintir uilig a chuaigh romhainn, nuair a ba ghnách leis na comharsanaigh a theacht isteach a dh'airneál san oíche agus nuair a shuíodh siad uilig thart fán tine ag comhrá agus ag caint ar an aimsir agus a dh'inse scéalta fán tsean-am.

Tá an scéal beag seo scríofa go simplí agus furast a léamh, agus is scéal é a chum mé féin. Bhain mé úsáid as ainmneacha na n-áiteacha, na gcnoc agus na sráidbhailte fán cheantar. Bhain mé úsáid fosta as cuid de na seanamhráin a chuala muid mar pháistí ar scoil agus ag éirí aníos dúinn. Is cuma cá háit a bhfuil mé, anseo nó sa bhaile, nó b'fhéidir thar sáile, bheir na hamhráin chéanna ar ais mé go dtí an Ghaeltacht, mo mhuintir agus mo dhúchas. Mar sin, tá buíochas speisialta ag gabháil do na filí a scríobh agus na ceoltóirí a chan na hamhráin ghalánta sin agus a choinnigh beo iad go dtí an lá atá inniu ann — go raibh míle maith agaibh!

Caitlín

Cuid I

1.

Muintir Phádraig Shéamuis

BHÍ PÁDRAIG SHÉAMUIS PÓSTA AR BHEAN DHEAS AS an bhaile íochtarach darbh ainm Bríd Nic Pháidín. Beirt chlainne a bhí acu, Siobhán agus Bríd Óg. Bhí feirm acu, cúpla acra de thalamh maith a rith síos go dtí an abhainn. Cha raibh a dhath ach caorán i gcúl an tí siar go dtí an droim agus uaidh sin go barr na mbeann. Bhí cónaí orthu i dteach beag ceann tuí agus é ina shuí go bródúil siar ón bhealach mhór sa Ghleann. Cha dtiocfadh leat áit ní ba dheise a fháil áit ar bith sa tír i dtús an earraigh, leis an ghrian ag éirí aníos as cúl Chnoc na Naomh go luath ar maidin, ceo teasa na maidne ina luí cosúil le bratach liath ghorm ar bharr na gcuibhreann agus boladh saibhir na mbláth fiáin ag teacht ó achan chlaí agus chraobh. Chluinfeá ceol álainn na n-éan agus fuaimeanna galánta ag teacht as achan chearn den bhaile; eallach ag búirthí, caoirigh ag méilí, coiligh ag scairtí agus madaí ag tafann. Cha dtiocfadh leat na fuaimeanna binne agus an áilleacht a chur i bhfocal, iad uilig ag fanacht le muscladh agus le beocht a theacht fán áit.

An t-earrach sin, i dtús na ndaichidí, chuirfeadh sé pléisiúr ar do chroí siúl síos an bealach mór fríd an ghleann. Tchífeá feirmeoirí beaga na háite amuigh ag obair sna páirceanna, cuid acu ag spréadh aoiligh, cuid ag spréadh leathaigh agus an chuid eile ag treabhadh nó ag déanamh druileanna leis an chapall agus an tseisreach leis na faoileoga ag eitilt is ag screadaigh ina ndiaidh. An t-am sin, cha raibh mórán páirceanna fágtha bán. Bhí an chuid is mó acu treabhaite nó rómhartha fá choinne prátaí, coirce nó siogal a chur iontu, agus bhí garradh beag ag taobh achan teach fá choinne glasraí. Is iomaí uair a sheasaigh Pádraig Shéamuis ag malaidh John Ruaidh agus d'amharc síos an Gleann ar na páirceanna beaga deasa d'achan chineál dath; pictiúr a d'fhanfadh leis go soiléir ina chroí agus ina chuimhne.

Bhí Pádraig Shéamuis ina shuí go luath an mhaidin seo, nó bhí rudaí beaga le déanamh aige. Bhí an bhó le blí agus le cur amach agus bhí air a ghabháil siar go dtí an pháirc gharbh agus gráinnín bídh a chaitheamh ag an éanlaith. Seo obair ar ghnách le Bríd a dhéanamh, ach inniu, bheadh sí róghnoitheach ag déanamh réidh bricfeasta do na fir a bhí ag teacht le lá bainte mónadh a thabhairt daofa. An t-am sin de bhliain, cúpla seachtain i ndiaidh na Féil' Pádraig, bhí an barr uilig sa talamh agus daoine ag déanamh réidh leis an mhóin a bhaint agus a shábháil fá choinne an gheimhridh. Obair chrua mhaslach a bhí san obair seo, go speisialta má bhí tú leat féin, nó obair bheirte is mó a bhí ann. Ar an ábhar sin, bhí tú i gcónaí ag brath ar do chomharsanach lá oibre a thabhairt duit. Nuair a bhí na bachtaí lomtha agus glanta, bhí tú réidh le toiseacht. Ba é Donncha Mháire a bhí i gcónaí ar mheitheal le Pádraig Shéamuis, mar d'oibir an bheirt go maith le chéile, agus corruair, cosúil leis an lá seo, bhíodh beirt deartháireacha de bhean chéile Dhonncha, Feilimí John Óig agus a dheartháir Jeaic, san imirt fosta.

Bhí lá trom crua ag bean an tí. Cha raibh leictreachas ar bith sna tithe an t-am sin agus bhí an chócaireacht uilig déanta ar an tine. Ar tús, bhí bricfeasta na bhfear le déanamh agus ansin na páistí le fáil réidh fá choinne na scoile. Bhí na comharsanaigh i gcónaí ar láimh le cuidiú agus tarrtháil a thabhairt. Ag deireadh na maidne, nuair a bhí na jabanna beaga eile uilig déanta ag Bríd, tháinig a beirt chairde, Maerí Bheag John Óig agus Méidí Sheáin, isteach le cuidiú léi. Shuigh an triúr síos agus d'ól siad cupa tae ar tús agus ansin thoisigh siad a phiocadh prátaí agus a ní glasraí. Sin déanta, chuir siad síos an pota beag dubh os cionn na tine agus líon siad é le bainne. Isteach ann, chuir siad cupa ríse, gráinnín breá siúcra, píosa ime agus unsa nó dhó rísíní. Dhéanfadh seo i gcónaí rís bhainne mhilis den scoith. D'fhág siad achan rud réidh fá choinne dhinnéar na bhfear tráthnóna.

Ag meán lae, thug Bríd léi uibheacha bruite, arán agus cúpla buidéal tae agus shiúil siar an droim go dtí an portach agus is ar na fir a bhí an lúcháir í a fheiceáil nó bhí siad tirim leis an tart agus réidh le cupa tae a ól. D'oibir siad leo ansin go raibh sé mall tráthnóna, nuair a bhí dinnéar breá réidh ag Bríd fána gcoinne.

Cha raibh anseo ach tús na hoibre agus sna míonna amach rompu bheadh muintir an tí ábalta oibriú leo ag giollacht na mónadh; á tiontú, á cróigeadh agus á sábháil roimh an fhómhar.

Thíos i lár an ghleanna, tráthnóna beag aréir,
Agus an driúcht ina dheora geala ina luí ar bharr an fhéir
'S é casadh domhsa an ainnir ab áille gnúis is pearsa,
'S í a sheol mo stuaim 'un seachráin, tráthnóna beag aréir.

2.

Cuairt oíche

CÚPLA SEACHTAIN I nDIAIDH DÓ AN MHÓIN A bhaint, bhí Pádraig Shéamuis ina shuí sa chlúdaigh, a dhá chois thuas ar an bhac agus a thóin le teas na tine, i ndiaidh lá trom oibre. Bhí Bríd ina suí leis na páistí ag an tábla, nuair a shiúil Donncha Mháire isteach.

'Dia sa teach!' ar seisean.

Chuir Bríd agus Pádraig fáilte roimhe agus d'iarr air suí aníos. Shuigh Donncha ar stól beag os coinne Phádraig ag taobh na tine.

'Tá tú gnoitheach leat ar an phortach,' ar seisean le Pádraig, agus é ag baint de a bhearád agus á chur ar a ghlúin.

'Tá,' arsa Pádraig. 'Lá eile agus beidh an droim sin tiompaithe uilig agam.'

'Bhí mé thiar tamall ar maidin,' arsa Donncha, 'agus tá craiceann breá tirim uirthi leis an aimsir mhaith atá againn.'

Shín Pádraig a phíopa anonn chuig Donncha agus chomharthaigh dó cúpla smailc a bheith aige.

'Go raibh maith agat,' arsa Donncha ag tógáil an phíopa.

Bhí Bríd gnoitheach ag an tábla ag cuidiú leis na páistí a gcuid ceachtanna a dhéanamh. I ndiaidh tamaill, shín Donncha an píopa ar ais chuig Pádraig agus tharraing amach a phíopa féin. Nuair a bhí sé líonta aige, fuair sé dealán as an ghríosach lena lasadh.

'An bhfuil cuimhne agat, a Dhonncha, ar na meithil mhóra a bhí fán áit na blianta a chuaigh thart, lá bhaint na mónadh nó ag sábháil an choirce?'

'Tá mo sháith cuimhne agam orthu,' a dúirt Donncha. 'Agus thiocfadh scaifte mór den aos óg le chéile fá choinne ceoil agus damhsa i ndiaidh obair an lae.'

'Na blianta roimhe sin, in am m'athara agus m'athara móire,' arsa Pádraig 'mar atá a fhios agat, cha raibh halla ar bith fá choinne damhsaí ná spraoi de chineál ar bith fán áit seo agus ba ghnách le haos óg an cheantair cruinniú a bheith acu ag an chrosbhealach. Beidh cuimhne agat féin air sin. Thit ceann de na cruinníocha i gcónaí ar Oíche Fhéile Eoin, nuair a chaithfeadh óg agus aosta cúpla seachtain ag cruinniú adhmad portaigh fá choinne na tine. Cha raibh garradh sa pharóiste nach mbeadh tine ann, agus ar achan chnoc agus droim, in onóir do Naomh Eoin. Chuirfeadh siad cuireadh ar cheoltóirí agus ar dhamhsóirí agus le clapsholas thiocfadh an t-aos óg le chéile. Tchífeá iad ina suí ar chlaí cloiche nó b'fhéidir ar an fhéar le taobh an bhealaigh mhóir, agus bheadh craic, ceol agus damhsa acu go maidin.'

'Chuala mé na seandaoine ag rá,' arsa Donncha, 'gur am breá a bhí ann don aos óg bualadh suas le chéile agus gur iomaí girseach agus stócach a tháinig le chéile den chéad uair ag damhsaí an chrosbhealaigh!'

'Leoga, bhí rudaí ag gabháil go breá gur chuala an sagart caidé a bhí ag gabháil ar aghaidh!'

'Nach raibh Domhnach amháin a labhair sé ón altóir ina ghlór mór láidir, ag ráit go raibh sé ag gabháil a chur deireadh leis an éirí in airde seo, mar go raibh sé scannalach, agus nach raibh maith ar bith ag gabháil a theacht as, ach briseadh croí agus tinneas ólacháin … go raibh an t-aos óg ag tabhairt drochainm daofa féin agus don pharóiste. Ina dhiaidh sin a thoisigh an t-aos óg a chruinniú sna sciobóil chúil.'

'Sin an t-am,' arsa Pádraig, 'a ba ghnách le Seán an Bhocsa a theacht amach as Toraigh a chuartú ceoil agus craice ... agus dhéanfadh na comharsanaigh i gcónaí cinnte nach rachadh a chuairt go tír mór amú.'

'Tá mo sháith cuimhne agam féin ar chúpla damhsa — go speisialta an ceann a bhí againn i scioból Shéarlaí Rua. Chruinnigh Séarlaí cúpla stócach a bhí fán áit le chéile an oíche roimh ré, mé féin ina measc, leis an scioból a ghlanadh suas. Bhí an scoil fágtha againn cúpla bliain an t-am sin. Chruinnigh muid cá bith cochán a bhí ar an urlár agus rinne muid cruach bheag de sa choirnéal. Ansin, thug sé cúpla seanscuab dúinn gur ghlan muid suas a raibh fágtha de na sifíní cocháin agus salachar ar bith eile a bhí thart fán urlár. Bhí a fhios againn cúpla comharsanach a raibh lampaí doininne acu, a bhí i gcónaí in úsáid nuair a bheadh bó tinn le gamhain, agus bhí muid ábalta lampaí ola tí a fháil fosta. Chuir muid ola iontu agus chroch suas go hard iad ar thaobhanna an sciobóil amach as dainséar. Fuair muid seanbhairillí ó chuid de na comharsanaigh agus thiompaigh muid a dtóineanna in airde in aice na mballaí agus chuir muid plainc adhmaid trasna orthu mar stól. An rud deireanach a rinne muid ansin ná ardán beag a dhéanamh fá choinne na gceoltóirí thuas ag cúl an sciobóil in aice le cruach an chocháin agus in airde air sin chuir muid cúpla stól.

'Cha ndéanaim dearmad a choíche den oíche chéanna. An fómhar a bhí ann agus bhí mé féin agus aos óg na háite ag fanacht le Seán an Bhocsa a theacht amach as an oileán. Gan mhoill i ndiaidh dúinn an áit a ghlanadh, dúirt duine inteacht go dtáinig sé i dtír agus go raibh ceoltóir eile leis, fidléir darbh ainm Ruairí Joe.

'Bhí achan duine ag fanacht leis an oíche mhór; na girseachaí uilig ag ní agus ag cíoradh agus na fir óga ag cur blaicín ar na bróga. Bhal, tháinig an oíche agus thoisigh an damhsa agus an chraic. Na fir óga ag tarraingt amach girseachaí a dhamhsa: Tonnaí Thoraí, Ballaí Luimnigh, Cor Ceathrair agus Cor Beirte, Aoibhneas na Bealtaine agus go leor damhsaí eile.'

'Sea,' arsa Donncha, 'agus a leithéid de luascadh, chuirfeadh sé mearbhlán i do cheann ag amharc orthu!'

'Bhí an chraic maith!' arsa Pádraig. 'Agus leis an luascadh, agus na fir ag bualadh síos a mbróga go crua ar an urlár, d'éirigh an dusta san aer cosúil le ceo, ach char chuir seo isteach ná amach ar an aos óg.'

'Arbh é sin oíche na troda?' arsa Donncha.

'Bíodh geall air gurbh é!' arsa Pádraig.

Ba ghnách le stócaigh an Ghleanna troid a chur ar mhuintir Ghlaise Chú, dá mbeadh siad ag brú isteach ar ghirseachaí an Ghleanna, agus sin an rud a tharla an oíche seo.

'Bhí Colm Dubh ina sheasamh sa choirnéal i ndiaidh siúl as teach Dixon i Mín Lárach agus braon maith sa ghrágán aige, é ag baint suilt as na damhsóirí agus ag bualadh síos a chos leis an cheol, nuair a chonaic sé comharsanach dó, Gráinne Jimí, ag damhsa le Niall Bán as bun an bhaile. Girseach bhreá a bhí inti seo a raibh nóisean mór ag Colm di agus chuir sé corraí mhór air. Chaith sé de a léine agus thoisigh a shiúl isteach i measc na ndamhsóirí, é ag titim ó thaobh go taobh, a smig sáite ina ucht agus ag amharc amach as faoina chuid malacha go drochainte, gan é ábalta a chosa a chur faoi agus leis sin, thug sé dorn sa bhéal do Niall. Thit Niall siar agus bualadh go trom ar an urlár é. Nuair a tháinig Niall bocht chuige féin, d'éirigh sé suas agus dúirt: "A Dhia, a Choilm, caidé atá contráilte leat?" "A bhligeard," arsa Colm, "sin girseach atá geallta domhsa!"

"Tchífidh muid fá sin!" arsa Niall agus thoisigh an troid. Ansin, chuaigh an dá bhaile in éadan a chéile! Thoisigh na girseachaí a screadaigh agus a rith i dtreo na gcoirnéal. Bhí Séarlaí Rua agus cuid mhaith de stócaigh an Ghleanna istigh ina measc ag iarraidh iad a scaradh. Chuir duine inteacht scéala isteach fá choinne fhear an tí. Tháinig Cathal Mór amach lena bhata cam agus thoisigh sé ag scairtí i nglór mór láidir ach bhí sé chomh maith aige a bhéal a choinneáil druidte nó bhí a ghuth ag gabháil le sruth. Shiúil Cathal Mór síos go dtí an doras, an áit a raibh barraille mór, agus thoisigh á bhualadh go láidir lena bhata go bhfuair sé cluas. "In ainm Dé!" ar seisean. "Stadaigí den troid anois sula mbeidh duine agaibh loite!" Shocair siad síos agus i ndiaidh tamaill, thoisigh an ceol agus an damhsa arís.'

'Cé a bhí loite, a mhamaí?' arsa duine de na páistí agus cluas aici leis an scéal.

'Bhal, tá am luí domhain ag páistí an tí seo,' arsa Bríd ón tábla. 'Bogaigí libh suas a luí, a pháistí.'

'A Dhia, amharc an t-am,' arsa Donncha. 'Beidh Maerí Bheag amuigh mo chuartú!' D'éirigh sé ina sheasamh. 'Oíche mhaith daoibh,' ar seisean, agus é ag cur air a bhearád.

Shiúil Pádraig go dtí an doras leis agus sheasaigh siad ansin tamall ag caint sular imigh Donncha síos an bóthar faoi sholas na gealaí.

3.

Cuimhní cinn Phádraig

BHÍ OÍCHE DHEAS GHEALAÍ ANN AGUS D'AMHARC Pádraig síos an Gleann a bhí anois fá chiúnas. Cha raibh a dhath le cluinstin ach madaí ag tabhairt freagair ar a chéile ag tafann. Tháinig Pádraig isteach, dhruid an doras agus chuir an bolta ann, agus suigh tamall eile ag amharc isteach sa tine. Bhí dúil mhór aige san am seo d'oíche, nuair a bhí an teach ciúin agus achan duine fá shámh. Chuir sé dealán úr ar a phíopa agus bhí cúpla smailc aige. Thoisigh sé a smaointiú ar an chomhrá a bhí aige féin agus Donncha fán damhsa sa scioból agus gurb é seo an chéad oíche a dteachaidh sé amach lena bhean, Bríd. An oíche sin, nuair a chonaic sé í ag teacht isteach sa scioból lena beirt chairde, Méidí Sheáin agus Maerí Bheag John Óig, char aithin sé í ar tús, ach shíl sé go raibh sí galánta. Bhí sí cóirithe suas i gculaith dheas ghorm, a cuid gruaige cíortha siar ar chúl a cinn agus claspa ann. Bhí sí mar spéirbhean ann. 'An í seo an ghirseach chéanna a shiúil 'na scoile linn, nó an bhfuil mo shúile ag imirt cleasanna orm?' a dúirt sé leis féin ag an am.

Sa deireadh fuair sé uchtach í a thabhairt amach a dhamhsa agus an chuid eile den oíche choinnigh sé greim chrua uirthi.

Chonaic sé Séarlaí Rua thuas le taobh na gceoltóirí agus iad ag ól as buidéal leanna. Ó am go ham, chuirfeadh Séarlaí a lámh siar faoi chruach an chocháin agus tharraingeodh sé

amach buidéal mór cúig naigín póitín; chonaic sé é á chur
thart ó fhear go fear le slog a bhaint as. Bhí siad uilig ag éirí
iontach meidhreach agus ólta. Choinnigh an chuid is mó acu
ag damhsa go raibh na coiligh ag scairtí agus na héanacha ag
ceol, ach thart fán trí a chlog, dúirt Bríd go raibh sí tuirseach
agus go raibh sí ag gabháil 'na bhaile. Dúirt Pádraig go
dtabharfadh sé síos í. Cha raibh teach Mhic Pháidín i bhfad
ón scioból; siúl beag síos an cabhsa go corradh an bhealaigh
mhóir. Sheasaigh siad bomaite ag doras an tí ag caint ar an
chraic a d'fhág siad ina ndiaidh agus leis sin, fuair sé póg bheag
agus bhí sí ar shiúl isteach agus an doras druidte.

'Shiúil mé agus dhamhsaigh mé agus bhí mé ar bharr na
gaoithe ar an bhealach 'na bhaile go dtí an Gleann,' a smaointigh
sé. 'Sin an uair a rinne mé suas m'intinn go mbeadh Bríd Nic
Pháidín mar chéile agam.'

Ag an am sin, bhí Cathal Mór Mac Pháidín, athair Bhríde,
agus a bhean chéile, Braighdí, ina gcónaí thíos ag bun an
bhaile. Teaghlach iontach deas a bhí iontu. Triúr de chlann a
bhí acu, beirt stócach agus girseach: Mícheál, Séarlaí Rua agus
Bríd. B'as Gleann Tor do Bhraighdí agus ba ghnách léi, mar
ghirseach óg, a cuid laethanta saoire a chaitheamh fán bhaile
seo lena cuid daoine muintreacha. Sin mar a bhuail sí suas le
Cathal. Bhí feirm bheag talaimh acu cosúil le achan duine, ach
bhí a gcroíthe i gcónaí san iascaireacht. Lena chois sin, bhí cáil
speisialta ar Bhraighdí as a bheith ag déanamh leighis d'achan
chineál agus ba ghnách le daoine a theacht mílte go dtí a teach.
Dá mbeadh duine tinn, óg nó aosta, nó galar orthu nach raibh
biseach le fáil air, nó fiú ainmhí tinn, bhí leigheas i gcónaí ag
Braighdí.

Smaointigh Pádraig siar ar an lá a chuaigh sé síos leis an
cheist speisialta a chur. Bhí sé féin agus Bríd ag siúl amach le

chéile cúpla bliain an t-am sin agus aithne mhaith aige ar an teaghlach, ach i ndiaidh sin is uile, bhí sé chomh fríd a chéile i rith an lae nach raibh sé ábalta a intinn a choinneáil bomaite amháin ar obair de chineál ar bith, ach ag smaointiú caidé a tharlódh nuair a rachadh sé isteach chun tí.

D'fhéad sé gan buaireamh a bheith air, nó chuir Cathal Mór agus a bhean chéile fáilte agus fiche roimhe. D'iarr siad air suí aníos go dtí an tine. Chuir Braighdí síos an citeal agus ansin dúirt Cathal go simplí: 'Tá sibh ag caint ar phósadh.'

'Tá,' arsa seisean, ag amharc síos ar an urlár.

'Bhal,' arsa Cathal, 'd'inis mise di nach dtiocfadh léi fear ní b'fhearr a fháil. A Phádraig, beidh fáilte anseo i gcónaí fá do choinne.'

Sin nuair a shiúil Séarlaí Rua, deartháir Bhríde, isteach agus nuair a chonaic sé an bhail a bhí ar Phádraig, bhí a fhios aige an chúis lena chuairt. Dúirt seisean, agus diabhlaíocht ina shúile: 'An seo an rógaire ceart atá ag dréim le mo dheirfiúrsa a phósadh? Agus ag caint ar an bhean chéanna, cá háit a bhfuil sí? Ná hinis domh go dteachaidh sí i bhfolach!' Agus d'amharc sé go magúil siar faoin leaba. Thoisigh a raibh sa teach a gháire.

Tháinig Séarlaí anall agus chuir a lámh thart air le tabhairt le fios go raibh sé sásta.

Cha raibh siad ach óg an t-am sin agus b'éigean daofa fanacht ceithre bliana sula raibh siad ábalta pósadh.

Chaith Pádraig na blianta sin anonn agus anall go hAlbain ag obair ar na prátaí agus ag déanamh obair ar bith eile a bhí le fáil; ag sábháil achan phingin sa dóigh go mbeadh dornán beag aige nuair a thiocfadh an t-am.

Na blianta luatha sin, nuair a d'fhág an t-aos óg an scoil, cha raibh a dhath fána gcoinne ach imeacht thar sáile.

Chuaigh cuid go hAlbain nó go Sasain agus chuaigh na céadta go Meiriceá.

Leis sin, d'fhoscail doras an tseomra agus chuir Bríd a ceann amach agus dúirt: 'A Phádraig, a thaisce, tá am luí ann!'

Chuir Pádraig a phíopa síos ar an bhac agus choigil sé an tine. Ansin thug sé casadh beag don chlog, chuir as an lampa ola agus chuaigh síos a luí.

Beidh aonach amárach i gContae an Chláir,
Beidh aonach amárach i gContae an Chláir,
Beidh aonach amárach i gContae an Chláir,
Cén mhaith domh é, ní bheidh mé ann.

A mháithrín, an ligfidh tú chun aonaigh mé?
A mháithrín, an ligfidh tú chun aonaigh mé?
A mháithrín, an ligfidh tú chun aonaigh mé?
A mhuirnín ó, ná héiligh é.

4.

I lár an aonaigh

BHÍ PÁDRAIG AGUS BRÍD INA SUÍ GO LUATH AN mhaidin seo, mar bhí an bheirt ag gabháil go haonach mór Ghort a' Choirce. Bhí Pádraig ag smaointiú ar chúpla uan a cheannacht agus bhí Bríd ag dréim le margadh maith a fáil fá na stainníní. Nuair a d'ith siad a mbricfeasta, d'fhág Pádraig slán go luath ag Bríd mar bhí sé ag dréim le bualadh suas le cuid de na comharsanaigh agus b'fhéidir go mbeadh dearthair Bhríde, Séarlaí Rua, ag tabhairt leis an capall dubh agus an carr. Bhí a fhios ag Pádraig go mbeadh cuid acu ar a gcos go luath mar bheadh siad ag tiomaint ainmhithe chun an aonaigh.

I ndiaidh dó imeacht, bhí Bríd gnoitheach fán teach. Ar tús, thug sí léi an stól beag agus an canna, agus amach léi go dtí an bóitheach. Chaith sí sopóg bheag cocháin faoi cheann na bó le hí a choinneáil suaimhneach, mar is iomaí uair a thug an bhó chéanna cic maith don channa agus chuaigh an bainne san aer agus san aoileach. Nuair a bhí an bhó blite agus an bainne síothlaithe, bhí an t-am na páistí a chur ina suí. Nuair a bhí a gceirteacha orthu agus boiseog uisce ar a n-aghaidh agus iad scuabtha cíortha, bhí siad réidh le suí síos agus babhal breá bracháin a ithe. Thart fán naoi a chlog, chuir Bríd píosa aráin isteach ina gcuid málaí agus i ndiaidh di an t-uisce coisricthe a croitheadh orthu, bhí siad réidh le siúl 'na scoile le páistí beaga eile na gcomharsanach.

Fán am seo, bhí Pádraig leathbealaigh go Gort a' Choirce. Nuair a tháinig sé go teach Shéarlaí Rua go luath an mhaidin sin, bhí Séarlaí fágtha cheana féin agus cha raibh a dhath le déanamh aige ach siúl leis. Nuair a bhí sé ag gabháil anonn ag crois Ghlaise Chú, cé a bhí ag teacht aníos Port Uí Chuireáin ach Feilimí John Óig lena chapall agus carr. Chuala sé scairt ó Fheilimí: 'A Phádraig, an bhfuil tú ag gabháil chun aonaigh?'

'Tá!' arsa Pádraig.

'Bhal, léim isteach!'

Bhí aonach mór an fhómhair i nGort a' Choirce iontach tábhachtach do mhuintir na háite an t-am seo de bhliain agus an geimhreadh chóir a bheith ag béal an dorais. Bhí orthu cuid de na hainmhithe a dhíol leis an fodar a spáráil, ar eagla go mbeadh drochaimsir amach rompu. B'fhéidir go mbeadh gamhain nó colpach le díol acu agus daoine eile ag cuartú bó óg a bheadh le gamhain. Bheadh tuilleadh ag cuartú caorach nó asal breá láidir a bhéarfadh an mhóin 'na bhaile fá choinne an gheimhridh.

Sa bhaile, nuair a d'fhág Bríd slán ag na páistí, bhí an t-am aici féin déanamh réidh fá choinne an aonaigh, mar bhí sí ag gabháil a shiúl síos go dtí an stad bus lena cara, Méidí Sheáin. Ach ar tús, chuaigh sí siar go dtí an bóitheach agus lig amach an bhó agus an gamhain. Thiomáin sí siar go dtí an pháirc ghlas iad ag cúl an tí agus chuir smután mór trasna na bearna le hiad a choinneáil istigh go tráthnóna. Chaith sí gráinnín beag bídh ag an éanlaith; ansin bhí sí réidh le hí féin a ghlanadh suas. Bean ghalánta chumtha a bhí i mBríd agus bhí dúil ariamh aici í féin a chóiriú suas nuair a bheadh sí ag gabháil ar an bhus go dtí an baile mór. An lá seo, chuir sí uirthi a cuid éadaigh maith Domhnaigh. Ba sin a cóta mór glas, a cuid bróg dubh agus seál beag gorm fána muineál. Nuair a d'amharc sí sa ghloine, bhí sí sásta go leor léi féin.

shelter

Bhí scaifte mór ag fanacht leis an bhus; fir, mná agus páistí. Bhí siad ina seasamh ar foscadh agus a ndroim le balla na scoile. Bhí an ghaoth ag séideadh aniar ó choirnéal Chnoc Fola. Chan ag ráit go raibh sé fuar, ach bhí cuma throm dhorcha ar bhun na spéire. Tharraing Bríd a seál suas fána muineál.

'Nach muid atá ag fáil an drochaimsir,' arsa fear de na *crop* comharsanaigh. 'Buíochas de Dhia go bhfuil an barr sábháilte ag an chuid is mó de na daoine, ach beidh corrdhuine i gcónaí gaibhte má tharla go raibh siad mall ag toiseacht.'

Smaointigh Bríd ar a clann a bhí istigh ag foghlaim. D'inis sí daofa an mhaidin sin siúl síos go dtí a mamó, Braighdí, nuair a bheadh an scoil thart tráthnóna go dtiocfadh Mamaí 'na bhaile ón bhus. Dúirt sí le Méidí go raibh sí ag gabháil a cheannacht snáth olna cleiteála fá choinne cúpla geansaí a dhéanamh do na girseachaí.

'Maise, sin rud a chaithfeas mé féin a dhéanamh,' arsa Méidí. 'Nó, tá mé náirithe leis an tseangheansaí atá ar mo Sheán bocht achan Domhnach.'

Leis sin, tháinig an bus agus shuigh Méidí agus Bríd isteach sa tsuíochán amháin agus char mhothaigh siad an t-am ag gabháil thart go raibh an bus ag tarraingt isteach ag aonach Ghort a' Choirce.

D'fhág na mná ádh mór ag a chéile agus d'imigh siad a dhéanamh a ngnoithí.

Fear galánta a bhí i bhFeilimí John Óig, agus le tréan craice agus comhrá idir é féin agus Pádraig, rinneadh an bealach a ghiorrú daofa. Bhí dúil mhór ag Feilimí san iascaireacht. Dúirt sé le Pádraig dá mbeadh cúpla duisín scadán saillte a dhíobháil air roimh an gheimhreadh go gcoinneodh sé cuimhne air.

'Maith an fear,' arsa Pádraig. 'An bhfuil an mhóin sábháilte agat?'

'Tá! Buíochas do Dhia,' arsa Feilimí. 'Tá mé ag smaointiú ar chúpla mí in Albain gan mhoill.'

Char mhothaigh siad an t-am go raibh siad istigh i lár an aonaigh i nGort a' Choirce. D'fhág siad ádh mór ag a chéile. Sin nuair a chonaic Pádraig a chara Séarlaí Rua agus é ag ceangal a chapall dubh ag taobh geata.

'A Phádraig,' arsa a chara. 'Tiocfadh tú isteach fá choinne buidéal agus leath cinn a ól?'

'Bhal, ba mhaith liom, ach tá mé anseo le cúpla uan a cheannacht.'

'Goitse liomsa,' arsa Séarlaí agus shiúil an bheirt síos go doras theach leanna Jimí Mhánuis i lár an bhaile. Bhí an tsráid lán eallaí, caorach agus uan. Bhí stainníní ann ag díol éadaigh agus bróga. Bhí callán agus gleo ann, le achan duine ag siúl soir agus siar, comharsanaigh ag scairtí le chéile ó cheann ceann na sráide, boladh láidir aoiligh san aer, eallach ag búirthí agus uain ag méilí. Cé a bhí ina sheasamh ansin ach Cormac Jimí as an Ardaí Bheag agus a mhac óg agus cúpla doisín caora thart fána gcosa.

'Tá fear anseo ag cuartú cúpla uan,' arsa Séarlaí.

'Bhal,' arsa Cormac ag aithint Phádraig, 'tá an t-ádh ort nó tá ocht n-uan ghalánta anseo. Cuirfidh mé isteach i gcarr Shéarlaí iad má chuireann tú cúig phunta síos ansin ar mo lámh.' Agus chaith sé seileog mhór ar a bhos. *sp. v*

'Bhal anois, thig leat do bhos a thriomú,' arsa Pádraig. 'Gheobhainn cúpla doisín caora ar an airgead sin.'

Bhí an bheirt ag scaradh óna chéile, ag imeacht agus ag teacht, amach is isteach, anonn as anall, go dtí go dteachaidh Séarlaí isteach eatarthu agus ar seisean: 'Arú, a Dhia, shílfeá gur capall rása atá á mhalairt agaibh. Déanaigí margadh de chineál inteacht!'

'Caidé fá dhá phunta ar na ceithre uan?' arsa Cormac.

'Cuirfidh mé punta amháin síos ar do bhos fá choinne na ceithre uan,' arsa Pádraig.

'A Dhia,' arsa Cormac, 'is é atá doiligh déileáil leat!'

''Nois, 'nois!' arsa Séarlaí agus é ag cailleadh foighde leis an bheirt. 'Ná titigí amach ar mhaithe leis!'

'Cuirfidh tú deich scillinge leis an phunta,' arsa Cormac Jimí ag cur seileog mhór eile ar a bhos, 'agus thig leat iad a chur sa charr.'

Chroith siad lámh agus bhí an margadh déanta.

'Cé a bhí ag caint ar bhuidéal agus leath cinn?' arsa Pádraig.

'Tusa!' arsa Séarlaí agus an triúr ag siúl isteach i dteach leanna Jimí Mhánuis.

'S é a dúirt damhán alla le míoltóigín tráth:
'Ó, tar liom abhaile, a chréatúirín bhreá,
Tá grian gheal an tsamhraidh ag damhsa ar mo theach,
Tá ithe agus ól ann, nach dtiocfá isteach.'

5.

Scéal Bhríde

CHUAIGH BRÍD SÍOS GO SIOPA ÉAMOINN MHICÍ AGUS bhí sé trangláilte, lán le mná ag comhrá agus tuilleadh thuas ag an chuntar ag ceannacht. Sheasaigh Bríd taobh istigh den doras ag fanacht le foscladh beag ag an chuntar agus nuair a tháinig a seans, cheannaigh sí cúpla punta de shnáth olna. Fuair sí dath donn do Shiobhán agus gorm do Bhríd Óg, agus bhí sí sásta go raibh an méid sin déanta aici. Nuair a thiompaigh sí thart i ndiaidh a cuid olna a chur ina mála, cé a bhí ag siúl isteach ach Méidí Sheáin. Thoisigh an bheirt a gháire.

'Anseo atá tú!' arsa Méidí. ''Dhia,' ar sise, 'nach bhfuil scaifte mór ag Éamonn. Beidh fanacht fada orm sula bhfaighe mé seans ag an chuntar.'

Rinne Méidí ar an chuntar agus d'imigh Bríd a bealach féin.

Bhí baile beag Ghort a' Choirce iontach gnoitheach agus bhí i gcónaí, é spreagúil agus craic le fáil ann, dar le Bríd agus í ag amharc thart ar na sluaite daoine agus iad chomh callánach. Sin an uair a chonaic sí Muiris Thaidhg ag déanamh uirthi. Chonaic sí é ag teacht aníos an tsráid ag scairtí ar dhaoine a d'aithin sé. Comharsanach daofa a bhí ann, as bun an bhaile, agus mar pháistí ba ghnách leo siúl 'na scoile le chéile.

Chuir Bríd a tóin síos ar mhála prátaí a bhí faoi fhuinneog Éamoinn Mhicí agus í ag smaointiú siar ar na laethanta sin nuair a bhí an bheirt acu níos óige. Bhí seanaithne aici air.

Thiocfadh leis a bheith ina mhaistín ceart agus é corruair
measctha suas i ndiabhlaíocht fán áit. Smaointigh sí siar ar an
lá a bhí sí ag teacht 'na bhaile ón tsiopa le mála earraí agus a
ceann crom ag baint páipéir de mhilseán, nuair a chuala sí
scairt: 'Hóigh, a Bhríd, goitse go bhfeice tú seo!'

D'amharc sí thart agus cha raibh sí ábalta feiceáil cá as a
dtáinig an glao. Ansin chuala sí seitgháire ag teacht as cúl an
chlaí agus sheasaigh sí bomaite ag éisteacht. Sin nuair a chuir
Muiris Thaidhg a cheann aníos, agus ar seisean: 'Nach bhfuil
tú ag teacht isteach go bhfeice tú?'

'Arú, a sheanmháloíd,' ar sise. 'Tá mo sháith le déanadh
agam, agus mo mháthair ag fanacht leis na hearraí seo fá
choinne an tae. Caide atá ansin agat?'

'Beidh iontas mór ort, nuair a thiocfas tú isteach,' arsa
seisean. 'Ainmhí beag galánta donn. Goitse go bhfeice tú!'

Ach bhí a fhios ag Bríd gur rollógú a gheobhadh sí ar an
taobh eile den chlaí.

'A mhaistín,' ar sise. 'Nach bhfuil an t-am agat siosmaid a
fháil agus an scoil fágtha agat le cúpla bliain? An tú atá ag
buachailleacht an eallaigh sin atá istigh i lár na bprátaí?'

D'amharc Muiris síos agus chonaic an t-eallach. 'Feic na
bitseacha!' arsa seisean.

Bhal, idir mionnaí móra agus ag scairtí ar a mhadadh dubh,
Bran, ag tarraingt buachalán buí as na rútaí agus ag rith ar
chosa in airde, baineadh gáire maith as Bríd agus dúirt sí léi
féin an lá sin go raibh an stócach óg sin ag gabháil chun donais.

Chaill Muiris a mháthair go hóg agus bhí cónaí air lena
athair go dtí le cúpla bliain roimhe sin, nuair a cailleadh eisean
le tinneas croí. Fad is a bhí sé beo, rinne a athair a dhícheall
comhairle agus cuidiú a thabhairt dó fá dhóigheanna an tsaoil,
agus tharraing siad le chéile ar a ndóigh féin gur cailleadh é.

Bhí Muiris ag tarraingt uirthi anois. Fear caol ard foscailte a bhí ann agus gruaig air nach dtiocfaí a thraenáil, í ag gabháil soir siar agus ina seasamh suas díreach ar bharr a chinn. Cha raibh sé ábalta smacht ná mín a chur uirthi, ach Dé Domhnaigh, ag gabháil chun Aifrinn Dé, nuair a bheadh sí chomh slíoctha sleamhain siar aige chomh maith is a thiocfadh leis le tréan uisce agus sópa.

Inniu, ag an aonach, bhí sé chomh holc is a bhí ariamh, a ghruaig achan dóigh; a chóta mór, a leathchóta agus a léine foscailte agus cúpla cnaipe ar a bhríste scaoilte. Bhí a dhá sciathán caite amach óna chorp, cosúil le duine a bhí réidh le héirí ón talamh, mar bheadh eala nó bardal, nó ceann de na héanacha móra sin ann. Nuair a tháinig sé aníos lena taobh, sheasaigh sé ag amharc uirthi bomaite.

'A Dhia, a Bhríd Nic Pháidín,' ar seisean. 'Nach tú atá ag amharc go galánta inniu!' Ansin tháinig faitíos beag air.

'Mora duit ar maidin, a Mhuiris,' arsa Bríd. 'Caidé mar tá tú? An bhfuil tú anseo ag díol nó ag ceannacht?'

'Tá cúpla caora ceangailte sa charr liom,' arsa Muiris, 'agus tá mé ag dréim le réitigh a fháil daofa, nó tá mo chroí briste ina ndiaidh ag gadaíocht ó na comharsanaigh.'

'Tá Pádraig anseo fosta, agus é ag dréim le cúpla uan a cheannacht. An bhfaca tú é?'

'Chonaic mé é féin, Séarlaí Rua agus Cormac Jimí ag gabháil isteach i dtigh leana Jimí Mhánuis thart fá uair ó shin,' arsa Muiris.

'Bhal, ádh mór ort, a Mhuiris,' arsa Bríd agus í ag seasamh suas. 'Tá cúpla rud beag eile le déanamh agam sula dtiocfaidh an bus.' Agus d'imigh sí léi.

Cheannaigh Bríd píosa beag feola ag Antoin Mór an Bhúistéara. Ansin, chuaigh sí síos go stainnín mór a bhí thíos ag coirnéal na sráide. Fear as Leitir Ceanainn a bhí ina cheannas agus é ag scairtí go hard fán chonradh mhór a bhí aige ar éadaí troma geimhridh. Bhí scaifte mór ina seasamh ag éisteacht leis an chraic agus iad plúchta leis na gáirí leis na ramáis amaideacha a bhí á ráit aige: 'Tarraingígí uilig isteach anseo ag mo thaobh,' ar seisean, 'go bhfeice sibh na brístí breátha troma atá anseo agam fá choinne na bhfear, agus na brístí beaga galánta fá choinne na mban!' Bhal, níl feidhm orm inse daoibh an méid feadalaí agus scairtí a fuair seo.

Bhrúigh Bríd isteach fríd an tslua go toiseacht an stainnín agus chonaic go raibh conradh maith le fáil ar léinte fear. Cheannaigh sí léine throm láidir do Phádraig fá choinne an gheimhridh. Ansin, rinne sí rud beag eile siopadóireachta agus cha dtearn sí dearmad milseáin a fháil do na páistí. Nuair a phill sí leathuair ina dhiaidh sin, chuir sí ceist ar Antoin Mór an Bhúistéara cén t-am a bhí sé. Dúirt Antoin go raibh leathuair aici sula dtiocfadh an bus.

'Rachaidh mé suas go dtí an reilig agus déarfaidh mé cúpla paidir fá choinne na marbh,' a dúirt Bríd, 'agus fágfaidh sin mo sháith ama agam.'

Ar an bhealach anuas ón reilig, nár bhuail sí suas le deirfiúr Mhéidí, Sorcha Sheáin, a bhí pósta ar fhear muintreach di féin, agus cónaí orthu thiar ar na Croisbhealaí, agus thoisigh an comhrá agus an chraic. Bean mhór lách fhoscailte a bhí i Sorcha, agus cha raibh an scéal sna trí paróistí nach raibh a fhios aici. Char luaithe a bhí scéal amháin inste aici nó bhí sí leathbhealaigh istigh sa cheann eile cosúil le sruthán uisce, agus chuaigh am an bhus amach as ceann Bhríde. Nuair a rith sí síos go dtí an stop, le taobh shiopa an bhúistéara, bhí an bus ar shiúl.

Chuir Antoin Mór an Bhúistéara scairt uirthi: 'Cá dteachaidh tú?'

D'inis sí dó caidé a tharla. 'Bhal, níl a dhath fá mo choinne anois ach an tsiúl,' arsa Bríd, agus d'fhág sí slán ag Antoin.

Bhí lúcháir ar Bhríd nach raibh a mála róthrom, agus fosta, bhí sí dóchasach go raibh Pádraig, a fear céile, agus a dearthár, Séarlaí Rua, go fóill ar an aonach agus go mbuailfeadh siad suas léi ar an bhealach 'na bhaile. 'Tá capall dubh Shéarlaí gasta ar a chos,' arsa sise léi féin. Ach, ar chaoi ar bith, bhí cleachtadh breá aici ar an choisíocht agus bhí an lá fada go dtí a naoi a chlog sula dtitfeadh an dorchadas.

> Ar aonach Mhín na Leice, nuair a bhí an saol ina ghasúr,
> Bhí mangairí an Lagáin le fáil ansin go fairsing,
> Thiocfadh cuid as Leitir Ceanainn agus baicle as Inis Eoghain
> Ach ní raibh stainnín ag aon fhear acu mar stainnín Dinny Keown.

> Bheadh fídeogaí agus fonnsaí agus gunnaí do na gasúraí,
> Cíorthaí agus cnaipí damhsa agus bábógaí do chailíní,
> Gheofá pluideannaí agus plaincéidí agus seál den drugaid mhór
> Á, bhí éadálach as cuimse ar stainnín Dinny Keown.

6.

I mbéal na tubaiste

TRÁTHNÓNA FUAR GAOTHACH A BHÍ ANN AGUS CHA raibh cuma rófholláin air nó bhí néalta móra dorcha ag rith trasna na spéire. Bhí Bríd ag siúl léi ar feadh tamaill nuair a thoisigh sé a chur. Deora beaga ar tús agus ansin thoisigh an fhearthainn a theacht go trom. Tharraing Bríd a seál suas ar a ceann agus rith sí go dtí an chéad tor aiteannaí a bhí ar thaobh an bhealaigh mhóir, agus i ndiaidh tamaill, chuala sí capall ag teacht ar luas gaoithe. Thóg seo a croí ar feadh bomaite, mar shíl sí gur capall dubh Shéarlaí Rua a bhí ann, ach níorbh ea. Capall mór donn agus é ar chosa in airde a bhí ann, le fear ina shuí ar shuíochán ag toiseacht an chairr agus cóta mór dubh anuas ar a cheann. D'aithin sí é nuair a tháinig sé níos cóngaraí. Ba Mhuiris Thaidhg a bhí ann agus nuair a chonaic sé í ina seasamh faoi thor na haiteannaí, tharraing sé an srian go teann agus le tréan scairtí agus bagairt ar an chapall donn, stop sé é sa deireadh agus rith sé aniar chuig Bríd.

'Tá mo chapall rud beag fiáin,' ar seisean, 'agus doiligh go leor é a choinneáil faoi smacht.'

'Shíl mé gur Pádraig agus Séarlaí Rua a bhí ag teacht chugam,' arsa Bríd.

'Chuaigh an bheirt sin 'na bhaile uair ó shin,' arsa Muiris. 'Léim suas ar chúl.' Chaith sé seanmhála garbh siar chuici agus sopóg cocháin le cur faoina tóin. Chuir sí an mála garbh ar a ceann nó bhí an fhearthainn anois ag teacht anuas go trom.

Lean an capall leis arís go mall agus i ndiaidh tamaill tharraing Muiris an srian, agus le tuilleadh bagartha ar an chapall, thiompaigh sé suas cabhsa Neilí Pheigí. Ba seo teach a bhí druidte suas le blianta mar gur cailleadh Neilí bhocht agus í ag gabháil siar in aois. Ba ghnách le haos óg na háite Teach na dTaibhsí a thabhairt air. Dúirt siad, le dorchadas na hoíche, go mbeadh eagla a mbáis orthu siúl thart leis nó go mbeadh solas le feiceáil ann go minic agus comhrá agus ceol le chluinstin taobh istigh. Ach dúirt na comharsanaigh gur lucht siúil a bhí ann ag glacadh foscaidh corroíche fhuar gheimhridh. Stop an carr agus rith Muiris siar le cuidiú le Bríd anuas ón charr.

'Caidé tá muid a dhéanamh anseo?' arsa Bríd. 'Is fearr domhsa a bheith ar shiúl 'na bhaile.'

'An as do mheabhair atá tú?' ar seisean. 'Rachaimid siar go tóin an tí ar foscadh.' Agus tharraing sé an capall agus an carr ina dhiaidh.

'Ar dhíol tú na caoirigh?' arsa Bríd.

'Dhíol, buíochas le Dia,' ar seisean agus é ag cur a láimhe isteach ina phóca agus ag tarraingt amach lán a dhoirn de mhilseáin agus á n-ofráil do Bhríd.

'Go raibh maith agat,' arsa Bríd ag tógáil milseáin, agus ag an bhomaite chéanna, d'fhoscail an spéir agus tháinig cith millteanach eile.

'A Dhia,' arsa Muiris, 'tá seo cosúil leis an díle mór a fuair muid anuraidh thart fán am chéanna, nuair a chaill cuid de na comharsanaigh an chuid a ba mhó den bharr. A Dhia, a Bhríd, an bhfuil cuimhne agat ar an anró a d'fhág sé ina dhiaidh; daoine gan phrátaí agus ainmhithe gan fodar.'

'Ná labhair liom air,' arsa Bríd. 'Nár chaill muid féin bó bhreá!'

Bhain Muiris de a chóta mór dubh agus chuir sé suas ar a

cheann é. 'Nach raibh an t-ádh orainn foscadh a fháil anseo ag taobh sheanteach Neilí Pheigí? Tar isteach anseo faoi mo chóta mór bomaite,' arsa seisean, 'go mbeidh an cith sin thart.'

'Á, tá mé ceart go leor ... tá foscadh breá anseo faoi mo sheál,' arsa Bríd.

'Maise, níl leoga!' ar seisean. 'Amharc ort féin! Tá tú ag éirí fliuch báite!' Agus fuair sé greim bhog ar sciathán Bhríde agus tharraing chuige í.

Fear ard a bhí i Muiris agus bhí Bríd anois istigh faoina ascaill agus an cóta mór thart ar an bheirt acu. D'fhiafraigh Bríd di féin cén dóigh a bhfuair sí í féin go simplí istigh faoi ascaill Mhuiris Thaidhg agus a anáil anois ar a muineál agus ar a cuid gruaige. D'aithin sí i ndiaidh tamaill gur éirigh sé iontach suaimhneach agus nuair a d'amharc sí suas air, bhí a aghaidh chomh geal le balla.

'A Dhia, a Bhríd, tá boladh galánta ar fad as do chuid gruaige.' Agus leis sin, fuair sé greim ar a dá sciathán agus chuir sé suas le tóin an tí í agus é ag brú a chorp go teann isteach léi. Tháinig scanradh mór ar Bhríd.

'A Bhríd, a chroí, is fada an lá mé ag smaointiú ar an bhomaite seo. Bhí mo chroí i gcónaí istigh ionat ach ansin d'imigh tú agus phós tú Pádraig Shéamuis Uí Bhriain as an Ghleann. Inis domh inniu,' ar seisean, 'caidé a bhí i do chloigeann an lá céanna?' Agus chaith sé amach seileog mhór agus cá bith eile a bhí á mhuirliú aige.

'A Mhuiris, le do thoil, caithfidh mise a dhul 'na bhaile nó beidh Pádraig ag cur mo thuairisce.' Bhí eagla millteanach ar Bhríd: 'Má chluineann Pádraig fá seo, a Mhuiris, beidh sé iontach feargach ar fad!'

Thoisigh Muiris a gháire: 'Níl eagla ormsa roimh fhear ar bith!'

Chonaic Bríd an bomaite sin an láidreacht a tháinig ina sheasamh agus ina chorp agus bhí cuil an diabhail air.

'A Bhríd, a chroí,' ar seisean. 'Tá a fhios agam anois gur Dia a chuir mo bhealach thú inniu. Níl aon oíche sa bhliain nach mbím ag brionglóidí ar an bhomaite seo.'

Tharraing Muiris suas geansaí Bhríde ansin agus thoisigh á bolaíocht ar tús agus ansin bhí a theanga agus a bhéal ag fliuchadh a brollaigh.

'A Mhuiris! A Mhuiris, stad de seo! Caidé tá tú a dhéanamh?'

Thoisigh Bríd a chaoineadh agus a screadaigh agus chuir sé a lámh mhór gharbh suas ar a béal agus hobair nár phlúch sé í. Bhí sé mar fhear a chaill a smacht go hiomlán agus Bríd gaibhte idir é féin agus an balla agus fios aici nach raibh stopadh air. Bhí a aghaidh dearg agus an t-allas ina rith anuas leis. Bhí sé chomh tógtha sin go raibh a sheileog ag triomú ar dhá thaobh a bhéil. Bhain Bríd greim nimhneach as a lámh agus lig sé scread as.

'Arú, a Bhríd! Caidé tá tú a dhéanamh, mo ghortú mar sin?'

Fuair Bríd scoite uaidh ar feadh tamaill agus shíl sí go raibh léi, ach bhí Muiris róghasta aici, agus róláidir, agus bhuail sé suas leis an bhalla arís í.

Go gasta ansin, chaith sé a chóta mór síos ar an talamh agus tharraing sé síos Bríd. Bhí sé anois go trom ina mullach agus í ag cailleadh a hanála. Thoisigh Bríd a screadaigh agus a chaoineadh arís agus ba chuma caidé a gheall sí dó, cha raibh sé ag gabháil a éisteacht le margadh de chineál ar bith.

'A Bhríd, bíodh ciall agat agus stop den screadaigh amaideach sin nó cluinfidh an baile thú! Ná bíodh eagla ort, a thaisce, tá mise ag gabháil a dhéanamh grá leat nach ndéan tú dearmad de choíche!' agus é ag tarraingt suas a sciorta.

Bhí a fhios aici caidé a bhí roimpi agus é ag foscladh a

bhríste. Bhí sé chomh trína chéile gur chaill sé smacht air féin go hiomlán agus lig sé osna throm ghruama as mar go raibh a shíol scaipthe róluath.

Ach fásann an féar arís, agus ar an drochuair do Bhríd bhocht, tháinig na séasúir uilig i mullach a chéile agus ní luaithe a bhí sé bainte nó go raibh sé curtha agus aibí arís.

Nuair a bhí Muiris gnoitheach ag fáil a dhóigh féin, bhí Bríd bhocht gan dóigh náireach stróicthe nimhneach agus marbh tuirseach ag iarraidh é a bhualadh ar shiúl uaithi, a chrága móra garbha á tarraingt achan dóigh. Bhí sé doiligh déanamh amach caidé a bhí ag gabháil fríd a chloigeann agus a intinn, leis an ionsaí mhillteanach seo ar chara agus ar chomharsa. Bhí sé mar fhear a chaill a chiall go hiomlán. Bhí tiúin mhairgní aige i rith an ama: 'Ó, mo Bhríd mhilis,' ar seisean. 'Cá háit a raibh tú go dtí seo. Tá mo chroí ag ceol anois … nach Dia a bhí go maith dúinn nuair a chuir sé mo bhealach thú. Ó, a Bhríd, mo stór, mo chroí, beidh mise go maith duit i gcónaí!'

Nuair a bhí seo uilig ag gabháil ar aghaidh, cha raibh an capall donn ábalta seasamh bomaite in áit amháin, é ag bogadaí siar agus aniar, ag croitheadh a chinn go crua agus ag seitreach. Bhéarfadh Muiris bagairt air ó am go ham ach cha raibh maith ann. Bhí an capall iontach fríd a chéile agus b'fhéidir i nádúr an ainmhí go raibh eolas aige nach raibh rudaí mar ba cheart. Nuair a bhí an brú deireanach á chur ag Muiris, gortaíodh Bríd chomh millteanach sin gur lig sí scread fiánta aisti agus léim an capall donn suas ar a chosa deirí. Thoisigh an carr mór a theacht iontach cóngarach do chosa Mhuiris agus d'éirigh sé ar a ghlúine agus thóg bata a bhí ina luí le taobh an bhalla.)

Nuair a fuair sí a seans, tharraing sí ceann dá cosa saor agus go ciúin cúramach thóg sí a glúin suas i dtreo a brollaigh, ansin leis an mhéid láidreachta a bhí fágtha ina corp, thug cic san ucht do Mhuiris. Chaill sé a ghreim agus thit sé siar ar a chúl agus bhuail sé a chloigeann ar rotha mór an chairr agus fágadh é ina luí ansin gan bogadh.

D'éirigh Bríd suas go ciúin ar a dá huillinn agus d'amharc anonn ar Mhuiris. Cha raibh bogadh as, ach bhí glór íseal ag teacht as a sceadamán ar nós go raibh sé ag ligint osna. Sheasaigh sí suas go suaimhneach agus tharraing síos a cuid éadaigh a bhí anois fliuch salach agus í ar crith. D'amharc sí thart go ciúin cúramach fá choinne a seáil agus a mála siopála agus nuair a fuair sí iad, chuir sí a seál fána ceann agus thóg a mála. D'amharc sí arís ar Mhuiris agus bhí a anáil ag teacht go gasta. Bhí cuma scáfar bhán ar a aghaidh agus eagla a báis uirthi go n-éireodh sé. Rith sí síos cabhsa Neilí Pheigí agus amach ar an bhealach mhór. D'amharc sí soir agus siar agus thug buíochas do Dhia nach raibh duine ar bith le feiceáil.

Bhí Bríd bhocht i bpian agus trioblóid go leor aici siúl. Bhí sí ag éisteacht le achan trup agus gleo ar eagla go raibh Muiris sa tóir uirthi, agus dá gcluinfeadh sí smid as bealach, shamhail sí go rachadh sí i bhfolach i bpoll inteacht. Fuair Bríd láidreacht ina corp nach raibh a fhios aici a bheith ann. Shiúil sí léi, ag éisteacht agus ag coimhéad i gcónaí. Tháinig turadh beag sa tráthnóna, ach bhí an ghaoth láidir go fóill agus ag cur moill uirthi agus ag greamú a cuid éadaigh fhliuch dá cuid loirgneacha.

Nuair a tháinig sí go droichead Jimí Eoin, stop sí le hamharc an raibh duine ar bith le feiceáil. Chuaigh sí síos go dtí an abhainn agus thóg suas a sciorta agus ghlan sí í féin chomh maith is a thiocfadh léi. Bean a bhí i mBríd nach raibh ariamh tugtha de chúlchaint, de bhréaga, ná de scéalta, agus bhí a fhios aici go mbeadh scéal na tubaiste seo ceilte ina croí go deo na ndeor. Bhí a fhios aici an toradh a thiocfadh as an scéal a inse ... agus bhuail eagla agus náire í.

Nuair a bhain sí an baile amach, bhí an t-ádh uirthi go raibh Pádraig amuigh ag tabhairt an eallaigh isteach fá choinne á mblí agus nach bhfeicfeadh sé an bhail a bhí uirthi. Bhí na girseachaí ag an tábla ag déanamh a gcuid ceachtanna fá choinne na scoile. Rith na créatúir anall agus isteach ina dá lámh.

'Caidé a tharla, a Mhamaí?'

'Ar chaill tú an bus?'

'Bhí muid ag fanacht leat le cúpla uair.'

Chuaigh Bríd síos sa tseomra agus chaith di a ceirteach chomh gasta is a thiocfadh léi agus chuir isteach i gcoirnéal iad. Nuair a shiúil Pádraig isteach, bhí sí ag cur uirthi éadach tirim.

'A Bhríd, a thaisce,' arsa Pádraig. 'Caidé a choinnigh tú? Bhí orm na páistí a phiocadh suas as tigh do mháthara agus ansin bia a thabhairt do na huain úra. Bhí mé féin agus Séarlaí Rua réidh leis an chapall dhubh a tharraingt amach agus a ghabháil do do chuartú a luaithe a bhí an t-eallach istigh.'

D'amharc Pádraig ar Bhríd agus bhí a haghaidh chomh geal leis an bhalla, í ar crith agus ag amharc síos ar a cuid ladhra, ag smaointiú ina croí chomh salach scriosta agus gan dóigh a bhí sí, agus cha ligfeadh an náire di amharc ina threo nó isteach ina shúile. Cha raibh sí ábalta an t-ualach trom seo a iompar.

Bhí Pádraig ag caint léi, ach cha raibh sí ábalta déanamh amach caidé a bhí sé a ráit. Bhí ceol agus callán ina cluasa agus d'éirigh a cosa lag fúithi agus thoisigh meadhrán ina ceann. Fuair Pádraig greim uirthi sular bhuail sí an talamh agus leag sé síos go cúramach sa leaba í. D'iarr sé ar Shiobhán rith go gasta agus iarraidh ar Mhéidí a theacht mar go raibh Mamaí iontach tinn.

Nuair a tháinig Méidí, bhí puins te déanta ag Pádraig agus eatarthu thóg siad suas sa leaba í go n-ólfadh sí an deoch. Shuigh Méidí lena taobh ag cuimilt a ceann go deas suaimhneach ciúin, agus í ag tabhairt focal sóláis di. Fuair Pádraig an clár iarainn agus théigh sé é ag taobh na tine. Chas sé an seanphlaincéad thart air agus chuir lena droim é. Fuair sé péire dá chuid stocaí olna agus tharraing sé suas ar a cosa iad lena gcoinneáil te.

Shuigh Pádraig agus Méidí tamall fada den oíche ag cogarnaigh lena chéile fán mhí-ádh a bhí uirthi. Is beag a shíl siad go raibh Bríd bhocht ag smaointiú ar Mhuiris ina luí amuigh faoi dhoineann san oíche dhorcha agus í ag cur an locht uirthi féin as an rud a tharla. Sa deireadh, d'éirigh Méidí le dhul 'na bhaile agus d'iarr sí ar Phádraig scairt a chur uirthi am ar bith uaidh sin go maidin dá n-éireodh Bríd níos measa.

7.

Cros Bhríde

GHLAC SÉ SEACHTAIN SULA bhFUAIR BRÍD BHOCHT biseach óna pianta agus an tinneas a d'fhág chomh lag le huisce í. Tháinig an dochtúir cúpla uair agus d'fhág sé ordú géar gan í a ligint amach as an leaba go ceann tamall fada. Chuidigh mná na comharsan go mór le Pádraig agus bhí sé iontach buíoch daofa.

Seachtain i ndiaidh na tubaiste, bhí Bríd ina suí cois tine ag teacht chuici féin agus Pádraig ag ithe ag an tábla, nuair a shiúil Méidí agus Maerí Bheag isteach agus dúirt Maerí Bheag: 'Char chuala sibh fá Mhuiris Thaidhg bocht?'

Bhí lúcháir ar Bhríd go raibh a droim leis an doras agus í ag amharc i dtreo na tine.

'Char chuala,' a dúirt Pádraig.

'Fuair siad an créatúr ina luí marbh thuas ag tóin sheanteach Neilí Pheigí. Deir siad go dteachaidh sé suas lena ghnoithe a dhéanamh agus gur thiompaigh an capall air, nó dúradh go raibh a mhuineál briste. Fuair siad an capall donn agus an carr ag gabháil anonn bealach na trá agus dúradh gur thall ansin a cheannaigh Muiris é cúpla mí ó shin.'

Buille millteanach a bhí anseo do Bhríd. Nuair a smaointigh sí gur ise ba chiontaí, b'fhearr léi féin bás a fháil díreach ansin ná leanstan ar aghaidh. Cha raibh focal aisti.

'Go ndéanaí Dia a mhaith ar Mhuiris bocht,' arsa Pádraig,

ag éirí aniar ón tábla. 'Tórramh uaigneach a bheas ansin,' ar seisean. 'Dílleachta bocht gan athair ná máthair le deor a shileadh dó, nó paidir urnaí a ráit os a chionn.'

Dúirt Méidí gur cuireadh scéala siar chuig a chuid daoine muintreacha i Mín Mór agus go dtáinig siad aréir. 'Idir iad féin agus na comharsanaigh, d'amharc siad i ndiaidh achan rud.'

'Tá faire ann i rith an lae,' arsa Maerí Bheag, 'agus táthar á chur amárach thuas sa tseanreilig ag taobh a mháthara agus a athara.'

'Tá an triúr anois le chéile agus go ndéanaí Dia a mhaith orthu uilig,' arsa Méidí.

'Rachaidh mé síos tamall ag an fhaire,' arsa Pádraig. 'Caithfidh mé m'ofráil a íoc agus rachaidh mé chun tórraimh amárach.'

'Sin teach eile a bheas druidte suas uaigneach,' arsa Méidí. 'An doras druidte sa lá agus gan solas lampa le feiceáil san oíche.'

'Creidim,' arsa Maerí Bheag, 'gur a chuid daoine muintreacha as Mín Mór a gheobhas an teach agus an talamh.'

Bhí Bríd bodhar ina corp agus ina héisteacht. Ghlac sé iomlán a cuid fuinnimh di gan titim den stól. Stán sí isteach sa tine agus de réir a chéile thoisigh an chuid eile a chomhrá fá rud inteacht eile.

Fuair Bríd athbhuille an lá sin. Bhain sí an leaba amach arís agus bhí sé coicís sula raibh biseach ar bith le feiceáil uirthi. Chuaigh an fliuchadh isteach go dtí a cuid cnámh, a dúirt an dochtúir, agus le casachtach agus aicíd na scamháin, hobair gur cailleadh an créatúr. Ba mhór an cuidiú iad Méidí Sheáin agus Maerí Bheag i gcónaí, agus ba é Pádraig a bhí buíoch astu.

8.

Uair na hachainí

Ó LÁ GO LÁ, D'ÉIRIGH BRÍD LÁIDIR AGUS SA DEIREADH bhí sí ábalta greim beag a ithe. Le comhairle an dochtúra cha ligfeadh Pádraig amach as an leaba í.

Nuair a bheadh sí léi féin, thiocfadh lá an aonaigh agus gach ar tharla di go soiléir isteach ina ceann. Cha raibh sí ábalta an lá dubh a ghlanadh as a hintinn. Bhí an gníomh cosúil le cnapán mór trom dubh ar a croí lá agus oíche, agus cha bheadh sí a choíche ábalta é a ghlanadh ar shiúl, mheas sí.

Thoisigh sí á ceistiú féin.

'Cha raibh mé ag smaointiú ariamh ar é a mharbh ... ach nuair a chonaic mé an bata mór garbh ... shíl mé go raibh mo shaol féin thuas. D'ionsaigh sé mé ... cá tuige ar tharla a leithéid? B'fhéidir go raibh mé féin ciontach ar dhóigh inteacht! A Dhia, nár cheart domh mé féin a thiontú isteach ag na péas...?'

Chuaigh sí siar agus siar ina hintinn ar an lá. 'D'fhéad mé inse do dhuine inteacht go raibh sé ina luí ansin loite ... ach ní raibh a fhios agam, shíl mise go raibh sé ag teacht i mo dhiaidh.' Bhí a ceann measctha suas ag smaointiú ar achan rud.

'Tá cuimhne mhaith agam muid uilig ag siúl 'na scoile le chéile, an stócach céanna a chaill a mháthair go luath agus a athair blianta ina dhiaidh sin. Dílleachta bocht ina chónaí go huaigneach leis féin....'

Smaointigh Bríd go gcaithfeá trua a bheith agat dó. 'Ach, a

leithéid d'ionsaí ar chomharsa agus fios aige go raibh mé i mo
chéile ag Pádraig Shéamuis. Bhí mé ádhúil fáil ar shiúl le mo
shaol … ach cén sórt saoil é anois? A Dhia, tabhair maithiúnas
domh as an rud atá déanta agam.'

De réir a chéile, i ndiaidh achan rud a tharla di, bhí Bríd ag
siúl thart arís agus ábalta a cuid oibre a dhéanamh fán teach,
fad agus thug Pádraig aire dá chuid oibre féin amuigh ar an
fheirm.

Mí nó dhó i ndiaidh an ionsaithe, thoisigh Bríd a fháil tinneas
maidne. Chuir seo buaireamh mór uirthi. D'aithin Pádraig gur
éirigh sí iontach gruama agus lá amháin nuair a chuir sé ceist
caidé a bhí uirthi, arsa sise: 'A Phádraig, tá mé le leanbh.'

Chuaigh sé síos ar a ghlúine ag a taobh agus chuir sé a dhá
lámh thart uirthi agus phóg sé an leanbh sa broinn. D'inis sé
di go raibh a chroí ag ceol le pléisiúr agus gheall sé achan
chuidiú a thabhairt di. Tháinig deora le súile Bhríde, agus
dúirt sí: 'A Phádraig Shéamuis, dá siúlfainn na trí paróistí, cha
dtiocfadh liom fear ní b'fhearr a fháil!'

'Seo, seo anois,' arsa Pádraig.

Cúpla seachtain ina dhiaidh sin, bhí Bríd ina seasamh ag
an tábla ag ní na soithí agus ag smaointiú ar gach ar tharla di
an lá dubh sin. Bhí sé doiligh an gníomh gránna a ghlanadh
óna hintinn agus as a croí. Nuair a bhí sí ag smaointiú siar ar
a mí-ádh, mheas sí anois go raibh a intinn déanta suas ag
Muiris í a mhealladh ar shiúl ón bhealach mhór an bomaite a
thiompaigh sé an capall donn suas cabhsa Neilí Pheigí.

'A Dhia, níl aon duine agam le ceist ná comhairle a iarraidh
air, ach tú féin.'

Ba é an rud a ba mhó a bhí ag cur buairimh ar Bhríd ná
athair an linbh. Seo an toradh anois as an drochíde a fuair sí
ó Mhuiris.

'D'fhoghlaim muid uilig ár gcuid urnaithe ónár dtuismitheoirí,' arsa Bríd léi féin, 'agus is é an foghlaim a fuair muid ná gur Dia a chruthaigh muid, agus go raibh lámh Dé in achan rud a ghní muid. Dúirt Muiris go raibh sé ag guí chuig Dia achan lá le mé a chur ina bhealach. A Dhia, an raibh sé sa phlean mise a scriosadh mar a rinne sé, agus ansin é a ghearradh síos go luath, sula bhfuair sé faill maithiúnas a iarraidh ... agus go bhfuil seans mór gurb é a shíol atá ag fás i mo bhroinn?'

Bhí a fhios ag Bríd nach raibh freagair air, agus go mbeadh toil Dé déanta. Chaith sí í féin síos ar a glúine agus d'iarr sí maithiúnas: 'A Dhia, ní fiú mé go dtiocfá faoi mo dhíon, ach abair amháin an focal agus beidh m'anam slán.'

'A Dhia mhóir dhílis, dá mbíodh agam páiste,
Caidé a dhéanfainn díobháil athar do mo leanbh beag óg?'
'Mise Dónall Ó Maoláine, is ní cheilim ar fheara Fáil é,
Gheobhaidh tú ar an tSliabh Bhán mé i gContae Mhaigh Eo.'

Cuid II

1.

Cuairteoir

DE RÉIR A CHÉILE, BHISIGH BRÍD AGUS D'ÉIRIGH SÍ amach as an ghruaim a bhí uirthi. Chonaic sí an leanbh mar bhronntanas ó Dhia agus gheall sí a bheith go maith dó. Bhí amanna a dtiteadh sí ar ais ar an dubhghruaim ach bhí laethanta eile a raibh sólás le fáil sa tsaol.

Ceann de na laethanta sin, rith Bríd Óg isteach chun tí agus í tógtha; cha raibh sí ach ina girseach bheag ag an am. Arsa sise agus í as anáil: 'Tá fear mór ag teacht aníos ag coradh Mhéabha.'

D'amharc Bríd amach ar an fhuinneog bheag. 'Fear na mBuataisí atá ann!' arsa sise agus tháinig aoibh uirthi den chéad uair le fada. Chroch sí an citeal dubh os cionn na tine.

Padaí Ó Dochartaigh ab ainm dó, ach bhaist muintir na háite Fear na mBuataisí air. Fear caol ard le gruaig rua, cóta mór fada dubh, péire buataisí leis na brístí brúite síos iontu agus mála garbh ar a dhroim leis a bhí ann.

'Tá Padaí ina chuairteoir mhór ar an Ghleann le fada,' a d'inis Pádraig do Bhríd Óg. 'Ach is fada an lá ó chonaic muid é.'

Bhí Pádraig ina shuí ag an tine ag cóiriú seaneangaí a bhí aige le caitheamh thar choca féir agus tháinig fonn cainte air. Smaointigh sé siar ar an chéad lá ariamh a shiúil Fear na mBuataisí na tithe uilig sa Ghleann. 'Bhí na daoine maith an lá sin,' ar seisean, 'achan duine agus a scéal féin aige. Dúirt cuid acu gur saighdiúir a bhí ann a cuireadh as a chéim mhíleata. Mheas tuilleadh gur chuala siad gur chaith sé cúpla bliain i bpríosún. Dar leis an chuid eile gur chuala siad thíos sa tsiopa go raibh na péas ina dhiaidh mar go dtearn sé drochghníomh de chineál inteacht, ach cha raibh siad ach ag toiseacht de bheith ag cleithireacht agus cha chreidfeá cuid de na scéalta.'

Bhí iontas ar Bhríd Óg faoin fhear choimhthíoch. D'amharc sí amach an fhuinneog agus chonaic sí é stoptha thíos os coinne theach na comharsan.

Lean Pádraig air: 'An chéad lá sin, nuair a tháinig sé isteach anseo sa teach, tá cuimhne agam gur shuigh sé thíos ag coirnéal an tábla agus d'iarr mise air a theacht aníos go dtí an tine agus é féin a théadh. Bhí mé ag caitheamh mo phíopa, agus i ndiaidh tamaill, tharraing mé amach píosa tobac agus ghearr lán píopa agus shín trasna chuige é. Thug sé buíochas mór domh agus líon sé a phíopa féin. Thoisigh muid a chaint ar an aimsir agus an drochbhail a bhí ar an talamh agus ar an bharr leis an fhearthainn throm a bhí ann le cúpla seachtain. I ndiaidh tamaill, tháinig Bríd anall le babhla tae agus píosa den tuirtín. D'fhág sé síos a phíopa go cúramach ar an bhac agus thug sé buíochas mór do Bhríd.

'Nuair a bhí a chuid tae ólta aige, dúirt sé: "Ar chuala sibh fán timpiste mhór a tharla amuigh i Leitir Ceanainn inné?" Dúirt muidinne nár chuala. "Bhal," ar seisean "an scéal a chuala mise ná seo...." agus thoisigh sé a dh'inse an scéil. "Bhí aonach mór Leitir Ceanainn ann inné agus is cosúil, tráthnóna go mall, nuair a bhí rudaí ag socrú síos, agus daoine ag tabhairt a n-aghaidh ar an bhaile, go raibh ceann de na trucail mhóra sin lán d'ainmhithe ag gabháil suas malaidh mhór Leitir Ceanainn agus, cá bith a tharla, nár fhoscail cúl an trucail agus léim cuid de na hainmhithe amach i mullach carr beag de dhéanamh Ford a bhí ag tiomáint aníos ina dhiaidh agus maraíodh an bheirt a bhí sa charr."

'"Arú, a Mhuire inniu!" arsa mise. "Go ndéanaí Dia a mhaith orthu, na créatúir!"

'"Sea," arsa seisean, "tá sé ráite gur fhág siad scaifte mór páistí ina ndiaidh."

'"A Dhia,'" arsa Bríd, "nach bhfuil cros throm ag corr-theaghlach le hiompar."

'Thóg an fear siúil a phíopa ón bhac agus d'fhág sé an babhla ar an tábla.

'Agus é ag siúl i dtreo an dorais, thiompaigh sé thart agus thug sé buíochas mór dúinn, agus bhí sé ar shiúl. Mheas mise an lá sin gur fear múinte a bhí ann ach fuair mé boladh uisce beatha as agus bhí sé cosúil le duine a bhí ag tabhairt drochíde dó féin. Fuair muid aithne níos fearr air ó shin, agus ón lá sin amach bíonn muid féin agus na comharsanaigh ag fanacht leis fá choinne nuachta nó scéal iontais de chineál inteacht. Beidh iontas mór orm muna mbíonn scéal de chineál inteacht leis inniu fosta.'

'Bhal, seo é ag teacht aníos an cabhsa,' arsa Bríd agus í ag dúil leis a theacht.

2.

An Poll Dubh

LÁ BREÁ GRÉINE A BHÍ ANN AG DEIREADH AN fhómhair. Bhí Feilimí John Óig agus a dheartháir, Jeaic, gnoitheach ag rácáil agus ag conlú sifíní sa pháirc mhór taobh thiar den teach. Bhí gráinníní beaga sifíní anseo agus ansiúd thart ar imeall na páirce agus iad á gcruinniú suas go cúramach agus á gcur ina sopóga beaga. Sheasaigh Feilimí bomaite ag tarraingt amach a phíopa le toit bheag a bheith aige. Nuair a bhí a phíopa lasta agus a mheáchan ar an ráca, d'amharc sé síos uaidh. Bhí fear ard ag siúl síos an cosán glas faoin teach agus choinnigh Feilimí súil ghéar air. Trasna na habhna leis ansin agus anonn an léana glas. Chuaigh sé as amharc bomaite nuair a thug sé léim isteach thar an chlaí a bhí ard le haiteannach, agus aníos ansin leis go dtí an Poll Dubh. Sheasaigh sé bomaite ag amharc isteach sa pholl agus ansin thoisigh sé a chaitheamh de a chuid éadaigh agus léim sé isteach.

'A Dhia, a Jeaic,' arsa Feilimí. 'Thug an créatúr léim isteach!' Chaith sé uaidh an ráca a bhí faoina ascaill agus dúirt: 'Goitse, a Jeaic.'

Rith sé i dtreo an phoill. Nuair a bhí sé leathbealaigh síos an cuibhreann, thiompaigh sé thart ach bhí Jeaic crom ag obair leis ag cur na sopóg le chéile. Lig Feilimí béic chreathnach as agus thóg Jeaic a cheann nuair a d'aithin sé go raibh fearg ina ghlór. Rith sé ina dhiaidh. Sa deireadh, nuair a bhain siad an

Poll Dubh amach, bhí siad glan amach as anáil. Sheasaigh siad bomaite ag amharc isteach ar fhear ag snámh anonn is anall go deas ciúin réidh. Bhal, hobair nár ith Feilimí é. Thug sé achan chineál ainm ar an fhear a bhí ag snámh.

'Nach tusa an t-uascán ceart!' arsa Feilimí. 'A amadáin mhóir! An bhfuil a fhios agat gur bhain tú an croí glan amach asainn leis an scanradh a thug tú dúinn, a gheabadáin cháidhigh! D'fhéadfá náire a bheith ort ag snámh thart ansin gan aon tointe éadaigh ort agus do thóin nochta.'

Léim an fear amach ar an bhruach agus thoisigh a chur air a chuid éadaigh.

'Tá mé buartha gur bhain mé scanradh asaibh,' arsa an fear. 'Bhí an lá galánta te agus dúirt mé liom féin nár bhreá snámh beag sa pholl.'

'Goitse, a Jeaic,' arsa Feilimí. 'Tá níos mó le déanamh againn ná a bheith ag éisteacht leis an gheabadán cheart sin.'

Thoisigh Bríd agus a raibh sa teach a gháire nuair a d'inis Fear na mBuataisí an scéal sin daofa níos moille sa lá.

'Arú, a Phadaí, a chroí,' arsa Bríd. 'Nár bhain tú an croí glan amach astu, na créatúir.'

'Sin beirt deartháireacha do Mhaerí Bheag, a Phadaí,' arsa Pádraig. 'Cha dtiocfadh leat comharsanaigh níos deise a fháil. Is iomaí lá bainte mónadh a thug siad dúinn. Is é an tuige a bhfuair siad an scanradh mór ná nach bhfuil sé mórán blianta ó tarraingíodh fear óg amach as an pholl chéanna i ndiaidh é a lámh a chur ina bhás féin. Sin an tuige ar baisteadh an Poll Dubh air!'

'Bhal, tá mé buartha fá sin,' arsa Fear na mBuataisí. 'Bhéarfaidh mé cuairt speisialta ar an bheirt,' ar seisean 'an chéad lá eile a thiocfaidh mé bealach an Ghleanna.'

3.

Fear na mBuataisí

THOISIGH FEAR NA mBUATAISÍ A THEACHT BLIAIN I
ndiaidh bliana arís, ag siúl aníos an Gleann gur éirigh na
daoine cleachtaithe leis, go speisialta muintir Phádraig
Shéamuis. Bhí fáilte roimhe i gcónaí agus cá bith béile a bhí á
ithe acu, rannfadh siad é le Padaí le croí mhór mhaith, agus
bhí buíochas millteanach aige do mhuintir an tí sin.

An samhradh seo, tháinig Padaí arís mar ba ghnách. Nuair
a tháinig sé chun tí agus a chomhrá déanta aige le lucht an tí,
thóg sé leis an tseanbhucáid a bhí taobh amuigh den teach agus
líon é lán uisce as an bhairille mhór. Ansin, dhoirt Bríd braon
beag uisce galach as an chiteal isteach sa bhucáid. Chaith sé
de a chuid buataisí agus a chuid stocaí agus shuigh sé ar an
stól amuigh ar leac an dorais agus a dhá chos ar maos aige
istigh sa bhucáid, ag sú isteach teas na gréine. Shuigh sé ansin
ag caitheamh a phíopa agus ag baint taitnimh agus pléisiúir
as áilleacht an Ghleanna, é ag amharc ar an ghrian ag gabháil
síos san iarthar ag cúl na mbeann agus ag éisteacht leis an lon
dubh an tráthnóna galánta ciúin samhraidh seo. Deireadh sé
i gcónaí gur saibhreas é seo nach dtiocfaí a cheannacht. Nuair
a bhí sé réidh, thriomaigh sé a chosa agus chuir sé a chuid
stocaí salacha isteach san uisce agus nigh sé iad. Ansin, spréigh
sé na stocaí ar chlaí na gcloch go mbeadh siad tirim nuair a
shiúlfadh sé ar ais aníos an Gleann tráthnóna.

Fear iontach eolach cliste a bhí ann agus nuair a chuaigh an focal thart go raibh sé ar bhealach an Ghleanna, bhí i gcónaí cúpla duine ag fanacht leis ag teach Phádraig Shéamuis. B'fhéidir go mbeadh foirm le líonadh nó ceisteanna acu agus comhairle a dhíth fá rud inteacht, agus mar sin de, bhí meas mór tuillte aige sa Ghleann. Cha raibh mórán daoine fán áit na blianta luatha sin ábalta ceisteanna crua a fhreagairt ná foirmeacha casta a líonadh amach chomh maith leis, taobh amuigh den mháistir scoile agus an sagart. Bhí meas mór ag Padaí ar mhuintir an Ghleanna agus thaispeáin siad an meas céanna dó. Bheadh daoine ag caint eatarthu féin agus ag ráit nach raibh Fear na mBuataisí cosúil leis an chuid eile de na daoine. D'aithin siad go raibh teanga léannta aige.

Oíche amháin, bhí siad ina suí thart fán tine ag comhrá agus ag inse scéalta i dteach Phádraig Shéamuis, nuair a chuir Pádraig ceist amach go simplí ar Phadaí cá háit a bhfuair sé an léann maith a bhí aige. Sin an uair a d'inis Padaí a scéal i gceart:

'Tógadh go maith muid taobh amuigh den tSrath Bán,' arsa seisean. 'Feirmeoirí móra a bhí inár dtuismitheoirí agus thug siad oiliúint agus scoláireacht mhaith domh féin agus do mo dheartháir, Liam. Chuaigh an bheirt againn go hollscoil agus bhí mise ag déanamh dlí. Bhuail mé suas le cailín álainn as Contae Dhoire agus í ag déanamh an ábhair léinn chéanna liom féin. Jane Mulroney an t-ainm a bhí uirthi agus ní náire liom a ráit gur thit muid i ngrá. Bhí sí den chreideamh Phrotastúnach agus nuair a chuala a muintir go raibh sí ag siúl amach liomsa, chan sásta a bhí siad. Rinne siad a ndícheall muid a scaradh. Gheall Jane go rachadh sí go ceithre coirnéil an domhain liom agus nach raibh aon fhear eile fána coinne ach mé. Bhí a fhios againn nach raibh muid ag gabháil a fháil a mbeannacht agus d'imigh muid i ngan fhios agus phós muid. Bhí achan rud ag gabháil go breá agus bliain eile le déanamh againn ar an ollscoil. Fuair muid cúpla seomra in aice an choláiste agus chuaigh muid ar ais chuig ár gcuid léinn.'

Tharraing Padaí anáil throm agus ar seisean: 'Seo nuair a thoisigh sláinte Jane a mheath agus chuaigh sí go dtí an dochtúir, agus uaidh sin go dtí an t-ospidéal. Chaith sí cúpla mí isteach is amach as an ospidéal agus sa deireadh hinsíodh di nach raibh sí ag gabháil a dhéanamh maith, mar go raibh ailse ina cuid fola.'

Stop Padaí agus chuir sé a cheann ina dhá lámh ar feadh tamall fada. D'fhan na héisteoirí go ciúin agus char dhúirt aon duine focal, nó bhí a fhios acu ina gcroíthe gurb é seo an chéad uair a d'inis Padaí an scéal ó chaill sé a bhean, Jane.

I ndiaidh tamall fada, thóg sé a cheann arís agus lean air: 'Sin an lá a chuaigh mise gan dóigh,' arsa seisean. Chroith sé a cheann: 'Tá mé blianta ag teacht anseo chun an Ghleanna agus tá mé buíoch díbh uilig as an tuigbheáil speisialta a thug sibh domh. Chuir sibh i gcónaí céad míle fáilte romham. Thoisigh m'intinn a shocrú agus mo chroí a bhisiú agus tá mé ábalta an ghrian a fheiceáil arís ag teacht aníos as cúl an chnoic agus éisteacht leis na héanacha ag ceol.

'Tá mé iontach buíoch de mhuintir an Ghleanna, go speisialta Pádraig agus Bríd, agus an Gleann aoibhinn ciúin seo a bhfuil mo chroí istigh ann.'

D'fhan sé ciúin ansin tamall agus é ag amharc isteach sa tine. Bhí sé cosúil le fear a bhí mílte ar shiúl. I ndiaidh tamaill, d'éirigh sé agus shiúil sé amach.

D'éist Bríd go cúramach lena scéal agus bhí a croí buartha ar a shon. Ar bhealach inteacht thuig sí a bhuaireamh. Sheasaigh sí ag an fhuinneog ag amharc air ag siúl síos an cabhsa go dtí an bealach mór.

Nach trua mise amárach, ag gabháil idir dhá dtír,
Agus sléibhte na coigríche ag cur cumha ar mo chroí.
Beidh mo rosca mar shrutháin ag síorshileadh deor,
Is a Mhéilte Cheann Dubhrann, céad slán libh go deo.

Tá néalta na maidine ag breacadh sa spéir,
Is na coiligh ag scairtí le bánú an lae,
Tá an soitheach ag fanacht in imeall an cheo,
Is a Mhéilte Cheann Dubhrann, céad slán libh go deo.

4.

Séarlaí Rua agus Bean an Oileáin

BHÍ DÚIL MHÓR AG DEARTHÁIR BHRÍDE, SÉARLAÍ RUA, san iascaireacht agus bhí a bhád féin aige. Achan bhomaite a fuair sé, bhí sé amuigh ar an fharraige. Fear mór ábalta láidir a bhí ann, ceann mór cuirlíneach rua air agus gáire aige a chluinfeá ag barr an bhaile. Dá mbeadh comharsanach ar bith i dtrioblóid, cosúil le duine a bheith tinn agus scairt le cur ar dhochtúir nó ar shagart, nó dá mbeadh bó tinn le gamhain, is chuig Séarlaí a rachadh an scairt i gcónaí agus cha raibh sé ariamh fuar ná falsa gar a dhéanamh lá nó oíche. Fear garach cineálta a raibh croí maith aige a bhí ann.

Ba é Séarlaí Rua ab óige sa teaghlach agus bhí airsean fanacht fán bhaile le cuidiú lena athair leis an fheirm bheag talaimh a bhí acu. Phós Séarlaí bean as an oileán darbh ainm Sábha Nic Suibhne. Bean ard ríoga a bhí inti, a bhí láidir agus dána; gruaig a bhí chomh donn le leathach na trá uirthi agus súile a bhí níos doinne arís. Casadh ar Shéarlaí Rua í ag deireadh an tsamhraidh, nuair a bhí sé thíos ag an chladach ag baint bucáid charraigín dá mháthair fá choinne an gheimhridh. Ba ghnách le Séarlaí cuid mhór de bhia na farraige a shábháil sa tsamhradh; carraigín, duilisc agus creathnach, agus é a thriomú fá choinne an gheimhridh.

An lá seo, chaith Séarlaí Rua tamall fada ag cuartú agus ag piocadh an charraigín, agus i ndiaidh sin is uile, cha raibh mórán i dtóin na bucáide aige. Lena dhroim a shíneadh, sheasaigh sé suas agus d'amharc sé uaidh. Nuair a thiompaigh sé thart, chonaic sé bean ina seasamh ar charraig píosa uaidh. Labhair sí agus dúirt: 'Fuair mé bucáid bhreá charraigín thall sa trá bheag. Má tá faill agat, taispeánfaidh mé an poll duit.'

'Níl aon pholl ná aon chreag ar an chladach seo nach bhfuil a fhios agam!' a dúirt Séarlaí. 'Ach rachaidh mé leat mar níl mórán cruinnithe agam ó tháinig mé anuas.'

Shiúil an bheirt anonn go dtí an trá bheag agus i gcúpla bomaite bhí a bhucáid lán. Thaitin an bhean óg seo go mór le Séarlaí Rua. Chonaic sé go raibh rud inteacht fá dtaobh di nach raibh sé ábalta cur i bhfocal.

'An tú iníon Ruairí Mhóir as an oileán?' arsa Séarlaí Rua.

'Is mé,' ar sise. 'Sábha m'ainm. Mise an ghirseach is óige. Tháinig muid amach ar an bhád ar maidin le rud beag siopadóireachta a dhéanamh i dTigh Dixon. D'fhág muid an bád i bPort Uí Chuireáin go dtí an tráthnóna nuair a bheas an lán mara istigh.'

'Bhal, cha chreidfeá,' a dúirt Séarlaí Rua, 'go bhfuil mé ag gabháil an bealach céanna i gcionn uair an chloig. Inniu lá an phinsin agus tá mé ag tabhairt liom an asal agus an carr.'

Thoisigh sí a gháire agus ar sise: 'Caithfidh sé gur pinsean mór trom atá le fáil agatsa!'

'Anois,' a dúirt Séarlaí, 'nach muid atá go cliste ar fad istigh ansin ar an oileán.'

Thoisigh an bheirt a gháire.

'An dtiocfaidh tú liom suas go dtí an teach agus beidh bolgam tae againn ar tús?' a dúirt Séarlaí.

'Ó, a Dhia, bheadh bolgam tae galánta,' arsa Sábha agus í go sásta léi féin.

Seo mar a bhuail Séarlaí Rua agus Sábha suas lena chéile,

agus i ndiaidh am gairid, pósadh an bheirt agus tháinig sí a chónaí go tír mór.

Ba ghnách le daoine a ráit gur maighdean mhara a bhí i Sábha. Bhí siúl mall suaimhneach aici, agus bhí tuiscint speisialta aici fán fharraige agus fán aimsir. Dúirt go leor daoine gur ghlac siad a comhairle cúpla uair nuair a bhí siad réidh le bád a chur in uisce. Bhí cuid mhór ranna beaga aici fá choinne achan séasúr, fuar nó te, mín nó garbh. Dá mbeadh drochchuil ar an aimsir, agus iascairí ag déanamh réidh le dhul amach, déarfadh Sábha rann beag mar seo:

Má théann tú amach, an dtiocfaidh tú isteach?
Chonaic mé iascaire ag cur a bhád le sruth,
Agus is uaigneach atá muid inniu gan a ghuth.

5.

An fharraige fheallltach

BHÍ COMHARSANAIGH AG SÉARLAÍ RUA A RAIBH
teach acu thíos cois an chladaigh: Seán Tomaí, a bhean,
Maighréad Phat, agus a mbeirt mhac, Ciarán agus Pól. Lá breá
ag deireadh an fhómhair, chuala siad go raibh na scadáin ina
rith amuigh i gcúl an oileáin. Seo teaghlach a raibh clú agus cáil
orthu féin as tuigbheáil mhaith a bheith acu ar an fharraige agus
ar an aimsir. Bhí siad i gcónaí ádhúil go leor agus bhainfeadh
siad an baile amach nuair a bhrisfeadh an aimsir. Cha
chreidfeadh duine ar bith go raibh siad ag tabhairt seans an lá
seo, tráthnóna galánta ciúin agus an fharraige mar bheadh clár
ann.

Bhí Séarlaí Rua é féin ag déanamh réidh le dhul amach fá
choinne cúpla doisín scadán a fháil an tráthnóna céanna,
nuair a shiúil Sábha amach go barr na mbeann. D'amharc sí
soir agus siar ar bhun na spéire agus í ag tabhairt cluas ghéar
do na héanacha mara. Nuair a tháinig sí isteach, arsa sise: 'A
Shéarlaí, thig leat na buataisí a fhágáil faoin leaba agus an cóta
uisce sin a chrochadh i gcúl an dorais. Níl dúil ar bith agam
ar an chuil dhorcha atá ar bhun na spéire; níl sí folláin, agus
déarfainn go bhfuil sí toirniúil.'

Cha raibh na créatúir eile go hádhúil, mar nuair a bhí Seán
Tomaí agus a chuid mac idir an tír mór agus an t-oileán,
d'fhoscail an spéir. Thoisigh sian na gaoithe, fearthainn throm

agus ansin an soilseach agus an toirneach mar a bhuailfeá bos. Thiompaigh na tonnta agus iad ag láidriú de réir a chéile. I ndiaidh tamaill, d'éirigh siad níos mó agus iad ag búirthí le fearg agus á gcaitheamh féin in éadan na gcreagacha agus na mbeann. Tháinig scanradh mór ar an triúr agus ba le trioblóid mhór a d'éirigh leo an bád a thiontú thart.

Bhí na comharsanaigh uilig ar an chladach fán am seo ag amharc amach agus gan iad ábalta lámh ná cuidiú a thabhairt daofa. An lá céanna, bhí iascaire millteanach ina measc as baile beag Ghlaise Chú, Hughie Éamoinn. Seo fear a bhí ag iascaireacht le bádaí ó bhí sé ina bhuachaill óg agus clú agus cáil tabhaithe aige fá ghnoithí farraige. Arsa seisean: 'Tá mise ag gabháil amach le tarrtháil a thabhairt orthu.'

'Beidh mise leat,' a dúirt Séarlaí Rua.

'Agus mise fosta,' arsa Peadar Phat, deartháir Mhaighréad Phat.

'Bhéarfaidh muid linn mo bhádsa,' a dúirt Séarlaí Rua, 'nó tá níos mó méide inti.'

Rinne siad réidh go gasta agus le preabadh súl, bhí siad féin agus an bád ar an uisce. Cha raibh bomaite acu le smaointiú ar an dainséar. Bhí bean chéile Sheáin Tomaí, Maighréad Phat, ina seasamh ar an chladach leis na mná eile agus í ag urnaí agus ag mairgní agus cha raibh ciall le cur inti. Ghlac bád na tarrthála tamall fada treabhadh fríd na tonnta móra agus cuid acu chomh mór le taobh tí. Thall is abhus bhí blosc mór toirní le cluinstin.

Sa deireadh bhain siad bád Sheáin Tomaí amach. Bhí a bhád ag líonadh le huisce agus gan iad ábalta é a thaoscadh gasta go leor. Rinne Séarlaí Rua a dhícheall rópa a chaitheamh a fhad le bád Sheáin Tomaí ach bhí obair chrua ag Hughie agus Peadar an bád tarrthála a choinneáil cóngarach go leor don bhád a bhí i gcontúirt. Thit an rópa san uisce idir an dá bhád achan iarraidh. Tharraing sé isteach an rópa agus chaith sé arís é. Fuair Seán Tomaí greim air an tríú huair. Bhí orthu oibriú go gasta.

Thug Seán Tomaí ar Phól, a mhac ab óige, an rópa a cheangal thart air féin. Bhí air Phól é féin a chaitheamh san fharraige agus snámh i dtreo an bháid tarrthála. Bhí eagla a bháis ar Phól léimtí ach tháinig briseadh beag sna tonnaí agus chaith sé é féin isteach. Tharraing Séarlaí Rua le tréan urraidh agus nuair a bhí sé faoi bhéal an bháid thóg sé isteach sa bhád é.

Scaoileadh an rópa agus caitheadh i dtreo an bháid eile arís é. Bheir Seán Tomaí air an chéad uair agus chuidigh sé le Ciarán an rópa a cheangal thart ar a choim. Bhí ar Chiarán a dhul san uisce anois. Ní raibh sé ag iarraidh a athair a fhágáil ach ní raibh rogha ann. Chuaigh sé síos faoin uisce agus bhí ar Shéarlaí agus ar Phól é a tharraingt aníos go dtí an bád. Tógadh isteach go gasta é agus chaith sé amach lán a ghoile d'uisce. Sin an uair a tháinig an tonna mór fiánta orthu agus hobair nár slogadh iad uilig faoin uisce. Nuair a d'amharc siad i dtreo na háite a raibh bád Sheáin Tomaí, cha raibh Seán le feiceáil. Chíor siad barr an uisce lena súile idir na tonnta móra, ag súil go bhfeicfeadh siad Seán Tomaí, ach cha raibh tásc le fáil air. Bhí sé amhail is gur shlog an fharraige é. Thoisigh na mic ag scairtí agus ag screadaigh ar a n-athair bocht, ach faraor géar goirt, bhí sé caillte.

Líon an tonna deireanach an bád, agus é leathlán uisce mar a bhí sé, agus slogadh an bád faoin uisce. D'fhan siad ag amharc soir agus siar ach le síon na fearthainne agus an ghaoth mhór, bhí sé doiligh rud ar bith a fheiceáil.

Scairt Hughie Éamoinn: 'Anois, a Shéarlaí, caithfidh muid ár n-aghaidh a thabhairt ar an bhaile, nó beidh an deireadh céanna orainn uilig.'

D'fhan siad tamall eile ag scuabadh na farraige ach níos measa a bhí sé ag éirí. Tharraing siad na rámhaí agus rinne siad ar an chladach. Bhí an bád ag líonadh le huisce chomh gasta agus a bhí siad ag taoscadh le bucáidí agus is é Dia a bhí leo Port Uí Chuireáin a bhaint amach.

Bhí scaifte mór de na comharsanaigh ar an chladach ag fanacht orthu agus iad chomh sásta nuair a bhí siad sa bhaile sábháilte, ach bhí drochscéal leo mar sin féin. Nuair a chonaic sí nach raibh Seán Tomaí leo agus chuala sí caidé a tháinig air, hobair gur chaill a bhean chéile, Maighréad Phat bhocht, a ciall ar fad. Tháinig na mná thart uirthi agus iad ag déanamh a ndícheall í a thabhairt 'na bhaile nó chaith sí í féin síos ar an chladach ag caoineadh agus ag scairtí ar Sheán bocht.

6.

Peadar Mac Géidigh

BHÍ SEÁINÍN BEAG MAC GÉIDIGH AGUS A BHEAN chéile, Anna, ina gcónaí ar shráidbhaile an Ghleanna. Teach beag ceann tuí a bhí acu. Teaghlach iontach suaimhneach iad, nach raibh ariamh tugtha do chúlchaint ná do scéalta. Beirt chlainne a bhí acu: Peadar agus Síle. Bhí Síle cúpla bliain níos óige agus í ar scoil go fóill. Rinne Peadar suas a intinn i ndiaidh dó an scoil a fhágáil go ndéanfadh sé a dhícheall fán bhaile agus cuidiú lena athair ar an fheirm, ach leis na cúpla paiste de thalamh garbh a bhí acu, bhí a fhios aige go luath nach raibh teacht aniar ar bith ag gabháil a theacht as. Sin nuair a shocraigh sé imeacht go hAlbain. Bhí a fhios ag Peadar nach raibh daoine muintreacha ar bith aige thall, ach leis na scéalta uilig a chuala sé fán bhaile, bhí sé dóchasach go ndéanfadh sé maith agus go ndéanfadh sé a dhícheall slí bheatha a bhaint amach.

An mhaidin a d'fhág Peadar, fuair sé bus go Leitir Ceanainn agus ceann eile go Doire, áit a raibh an bád ag fanacht. Cha raibh a dhath leis ina sheanmhála ach cúpla péire stocaí olna a chleiteáil a mháthair agus cúpla ball beag eile éadaigh.

Bhí a fhios aige go mbeadh am uaigneach roimhe, ach rinne sé suas a intinn go n-oibreodh sé go crua agus go gcuirfeadh sé cúpla punta anall chuig a mháthair chomh luath agus a thiocfadh leis. Bhí croíthe a mháthara agus a athara briste ag amharc air an mhaidin sin ag imeacht chomh hóg agus gan iad ábalta mórán cuidithe a thabhairt dó. Gheall sé daofa go scríobhfadh sé go minic, agus dúirt leo gan a bheith buartha faoi.

Sheasaigh siad ag an doras ag amharc ina dhiaidh agus a mhála beag ar a dhroim. Mhothaigh siad nach raibh ann ach tachrán ag imeacht ar mhullach a chinn agus gan aon duine anois lena chomhairliú ná lena threorú. Chroith siad an t-uisce coisricthe ina dhiaidh agus ghuigh siad go dtéadh sé slán.

Nuair a bhí sé ag coradh Tísí Jimí John, sheasaigh sé agus d'amharc i dtreo an bhaile. Bhí siad go fóill ag an doras ag croitheadh slán. Tháinig uaigneas millteanach air ag amharc orthu ansin leo féin agus gan acu anois ach Síle bheag a bhí go fóill ar an scoil. Bhraith sé go raibh sé á dtréigbheáil go hiomlán ach gheall sé go ndéanfadh sé maith. Chas sé agus shiúil leis gan amharc siar ní ba mhó.

Ar an bhád, bhuail Peadar suas le cúpla stócach agus nuair a cheistigh siad cá raibh sé ag gabháil, nó an raibh sé ag bualadh suas le duine ar bith, dúirt Peadar nach raibh.

'Bhal, má tá dúil agat, thig leat a theacht linne. Tá ainm agus seoladh againn!'

Agus scríofa ar phíosa páipéir, a tharraing fear acu as a phóca, bhí ainm agus seoladh an chonraitheora, John Joe Ryan.

'Dúradh linn gur ag tógáil tithe a bhíonn sé. B'fhéidir go mbeadh sé ábalta jab a fháil duitse fosta!'

Bhí Peadar chomh sásta le rí leis an chuireadh seo.

''S é Dia a chuir le chéile muid! Is mise Peadar,' ar seisean ag cur amach a lámh.

'Mise Tic ... agus seo Dan,' a dúirt an fear is sine.

Sheasaigh an triúr ar an deic ag comhrá go dtí gur sheol siad suas Abhainn Chluaidh go Glaschú. Shúigh siad isteach na hiontaisí uilig. Foirgnimh mhóra liatha, iad dubh leis an toit agus leis an cheo, agus boladh millteanach ola san aer. Bhí bádaí beaga agus móra ann le achan chineál dath ar a gcuid seolta; cuid acu le gual, tuilleadh le hearraí, le hadhmad agus le hainmhithe. A leithéid de ghleo agus de scairtí! Bhí adharca na mbád ag séideadh go callánach, dugairí ag scairtí le chéile ag tabhairt orduithe, bucáidí móra ag líonadh guail ó bhádaí go trucailí, carranna agus capaill ina seasamh ag fanacht le hearraí agus achan duine chomh gnoitheach.

Nuair a tháinig an bád suas leis an ché, shiúil na stócaigh anuas an pasáiste go dtí an duga. Bhí tithe itheacháin go leor ar dhá thaobh na sráide ag cur cíocrais orthu. Fuair an triúr cupa tae agus bonnóg bhreá aráin a chuir ar shiúl an t-ocras.

Shiúil siad síos an tsráid gur casadh fear orthu agus chuir siad ceist air an dóigh ab fhearr le fháil go Dún Phárlain. Shín siad chuige píosa an pháipéir a raibh an seoladh air. D'amharc sé ar an tseoladh agus d'iarr orthu siúl síos go dtí an coirnéal, áit a raibh an traein a thabharfadh go Dún Éideann iad agus uaidh sin go bhfaigheadh siad traein eile suas go Fíobha. Thug siad buíochas mór dó.

Chuaigh an turas go breá isteach go Dún Éideann áit a bhfuair siad traein eile i dtreo Dhún Phárlain i bhFíobha.

Dar le Peadar gur aige a bheadh an turas fada uaigneach leis féin nó bhí cuideachta mhaith sa bheirt eile. Ó am go ham, d'amharc siad ar an phíosa páipéir agus na trí cinn sáite istigh ann, iad ag cuartú nó ag dréim le píosa úr eolais, ach cha raibh sé le fáil. Cha raibh a dhath scríofa ann ach ainm an tsráidbhaile agus an t-ainm John Joe Ryan.

Sa deireadh, fuair Peadar uchtach ceist a chur ar dhuine de na paisinéirí deireanacha a bhí fágtha sa charráiste faoin tseoladh. D'inis sé daofa go mbeadh orthu a theacht amach ag an chéad stop eile. Thoisigh an triúr ag léimtí thart mar bheadh páistí ann. Rinne an strainséir gáire nuair a chonaic sé chomh sásta a bhí siad. Ar seisean leis féin: níl iontu go fóill ach páistí.

Bhí na stócaigh anois ina seasamh ag amharc amach ar an fhuinneog agus iad ag cur níos mó suime san áit agus sna tithe. Ag an chéad stop eile léim siad amach.

Cha raibh mórán daoine ag an stop; corrdhuine ag siúl soir agus siar. Cha raibh a fhios acu cé acu a rachadh siad suas nó síos an bóthar. Sheasaigh siad ansin fada go leor ag smaointiú gurbh iad na hamadáin chearta a tháinig a fhad seo ar mhaithe le píosa páipéir. Sa deireadh, ba orthu a bhí an t-iontas, nuair a tháinig seanleoraí mór agus stop sí rompu ag an stáisiún, nó scríofa go mór ar thaobh an leoraí bhí: John Joe Ryan, Conraitheoir. Rith an dá stócach anonn go dtí an tiománaí agus thoisigh siad a chaint. Fágadh Peadar ina sheasamh ansin ina stacán. I ndiaidh tamaill, scairt an fear anonn ar Pheadar agus chuir sé ceist fána ainm agus cárbh as é.

'Peadar Mac Géidigh as Tír Chonaill,' ar seisean.

'Léimigí isteach,' arsa an tiománaí.

Chroith sé a lámh leo agus dúirt: 'Mise Dom. Bhéarfaidh mé go dtí bhur lóistín sibh ar tús agus buailfidh sibh le John Joe níos moille. Beidh mise anseo le breacadh an lae, ar a sé a chlog, agus bígí réidh ... mar cha bhíonn faill agam fanacht libh.'

Sa deireadh tháinig siad go dtí an teach lóistín. Bhí sé ar cheann de chúig nó de shé theach bheaga a bhí ina suí le chéile agus gan mórán difir eatarthu. D'fhoscail sé doras uimhir a trí agus thaispeáin sé an seomra daofa. Bhí sé beag agus fuar agus ceithre leaba bheaga ann.

'Nuair a bheas rud beag airgid saothraithe agaibh,' arsa

Dom, 'beidh sibh ábalta cúpla pingin a chur sa téiteoir sin sa choirnéal. Dúirt John Joe go mbeadh sé anseo i ndiaidh am tae.'

D'fhág sé slán acu agus bhí Dom agus an seanleoraí ar shiúl.

Chruinnigh an triúr le chéile thart ar an tábla a bhí faoin fhuinneog. Cha raibh bia ar bith sa tseomra agus bhí a mbolg thiar ar a ndroim leis an ocras. Fuair siad gráinnín beag tae i mbocsa agus salann i mbocsa eile agus paca brioscaí a bhí bog le haois istigh i bprios. Bhí sorn dubh sa choirnéal ach cha raibh cipíní ná gual le feiceáil. Shuigh an triúr síos agus roinn siad na brioscaí eatarthu agus thoisigh siad a chomhrá.

D'inis Tic agus Dan do Pheadar gurbh as Ráth Maoláin iad agus gur comharsanaigh a bhí iontu. Bhí cónaí orthu taobh amuigh den bhaile. Feirmeoirí móra uilig a bhí ina gcónaí thart orthu ach cha raibh talamh ar bith ag a muintir féin. Chaith siad ceithre bliana ag obair le feirmeoirí eile. 'Bhí muid ag líonadh prátaí isteach i gcarr cúpla seachtain ó shin,' arsa Dan, 'nuair a bhuail muid suas le fear as an bhaile agus d'inis sé dúinn fá fhear muintreacha dó darbh ainm John Joe a bhí ag tógáil tithe abhus in Albain. Sin an uair a rinne muid suas ár n-intinn a theacht anall agus triail a bhaint as an obair seo.'

'Caidé fá dtaobh díot féin, a Pheadair?' arsa Dan.

D'inis Peadar daofa fán taobh eile den chontae agus na paistí beaga talaimh a bhí ag na daoine ansin agus iad ag déanamh a ndíchill slí bheatha a bhaint amach. 'Chuala mé go leor scéalta fá Albain agus sin an rud a thug orm féin a theacht anall,' arsa Peadar.

Mar a dúirt Dom, bhí John Joe go maith lena fhocal agus shiúil sé isteach ar a sé a chlog agus d'amharc thart ar an triúr.

'Ar ith sibh a dhath, a ghasúraí?' ar seisean.

'D'ith,' a dúirt siad. 'D'ith muid na brioscaí uilig.'

Thoisigh sé a gháire agus dúirt: 'Goitsigí liomsa!'

Shiúil siad amach go dtí carr mór dubh agus d'iarr John Joe orthu suí isteach. Fear mór ard láidir a bhí ann. D'inis sé daofa gurbh as Contae Dhoire é ó thús agus go dtáinig sé go hAlbain nuair a bhí sé ina stócach bheag lena theaghlach. Dúirt sé gur bríceadóir a bhí ina athair agus gur ceird mhaith a bhí ann an t-am sin.

'Bhí an t-ádh orm gur fhoghlaim sé an cheird uilig domh agus achan rud fá dtaobh de.'

Stop siad taobh amuigh de theach itheacháin; foirgneamh mór gorm agus scríofa trasna os cionn an dorais i litreacha móra bhí: Bia á dhéanamh réidh anseo, lá agus oíche.

'Ó, a Dhia,' arsa Peadar. 'Thiocfadh liom bó a ithe!'

Thoisigh John Joe a gháire.

D'ordaigh sé feoil, prátaí agus glasraí agus dúirt leis an ghirseach a bhí ag freastal na plátaí a líonadh suas mar go raibh an triúr seo i ndiaidh a theacht an bealach fada as Éirinn agus go raibh ocras mór orthu.

'Maise, tá fáilte mhór rompu, nó as an tír chéanna mé féin!' ar sise agus aoibh uirthi.

Nuair a bhí uair caite acu ag ithe agus ag comhrá, cha raibh mórán fágtha ar na plátaí agus bhí a fhios ag John Joe go raibh na stócaigh tuirseach i ndiaidh an turais fhada. Thug sé suim airgid don triúr, a bhí le theacht amach as a bpá ag deireadh na seachtaine.

'Stopfaidh muid ag siopa beag ar an bhealach,' a dúirt John Joe. 'Agus beidh sibh ábalta rudaí a cheannacht fá choinne na maidne nó caithfidh sibh bricfeasta maith a ithe. Agus ná déanaigí dearmad de bhur lónta. Gheobhaidh sibh seans am inteacht iad a ithe!'

Nuair a bhí sin uilig déanta aige, d'fhág John Joe slán acu go dtí an mhaidin agus bhí sé ar shiúl.

Chuaigh na stócaigh a luí an oíche sin agus cha dtiocfadh leo fanacht leis an mhaidin ag smaointiú ar an áit úr a raibh siad ag gabháil a dh'obair ann.

Bhí Dom ar a chosa go luath maidin lá arna mhárach, agus bhí sé féin agus an seanleoraí taobh amuigh den lóistín roimh a sé a chlog. Bhí na stócaigh réidh agus a gcuid lónta leo ina bpócaí.

'Cha bhíonn sibh ag obair le chéile,' arsa Dom, 'mar go bhfuil trí láthair tógála ag gabháil ar aghaidh ag John Joe.'

Stop sé ag an chéad áit tógála agus lig sé amach Tic; an dara háit agus tháinig Dan amach agus ansin Peadar.

Thaispeáin duine de na hoibrithe do Pheadar an cineál oibre a bhí le déanamh aige, agus dúirt leis go mbeadh na fir ag fanacht le cupa tae thart fán deich a chlog. B'éigean dó an barra a fháil le gaineamh a tharraingt go dtí an áit a raibh an measctóir suiminte, ansin an barraille a líonadh lán uisce agus cúpla mála suiminte a iompar amach as an tseid.

Nuair a bhí sin uilig déanta aige, chuir sé síos an citeal ar an tsorn bheag a bhí acu sa tseid agus nuair a bhí sé ag gail chuir sé scairt ar na fir eile. Rith siad isteach agus shuigh cuid acu síos ar bhocsaí nó áit ar bith a dtiocfadh le duine a thóin a leagan síos.

'Bhal,' arsa fear acu. 'Cá as a dtáinig tusa?'

D'inis Peadar daofa.

'Bhal anois,' ar seisean. 'As Tír Chonaill cuid mhór de na fir atá ag obair ar na tithe eile, ach as Contae Mhaigh Eo an chuid is mó den scaifte seo.'

De réir mar a chuir sé aithne orthu, thug na fir chéanna comhairle mhaith do Pheadar fá chuid mhór rudaí, cosúil leis an dóigh ab fhearr le fáil isteach go dtí an baile mór, nó cá háit a raibh Oifig an Phoist agus Teach an Phobail suite, agus na háiteacha ab fhearr le héadach trom a cheannacht fá choinne an gheimhridh. Bhí cuid mhór le foghlaim aige ach cha raibh deifre air. Cha raibh sé ach ag éirí cleachtaithe leis an obair.

Thug Dom 'na bhaile iad uilig arís tráthnóna sa leoraí agus i ndiaidh béile a ithe, chaith siad an chuid eile den oíche ag imirt chártaí, mar bhí cónaí orthu in áit scoite go leor.

7.

Faoi lán seoíl

BHÍ ACHAN RUD AG GABHÁIL GO MAITH DO PHEADAR agus a bheirt chairde in Albain, go dtí lá amháin i dtús an gheimhridh nuair a tháinig fear isteach ar an tsuíomh a chuartú Tic.

Chomh luath agus a chonaic Tic an teileagram i lámh an fhir, bhí a fhios aige nach a dhath maith a bhí ann. Shuigh sé síos agus léigh sé an teachtaireacht. A athair a bhí tinn agus bhí siad ag iarraidh air pilleadh 'na bhaile go gasta. D'imigh Tic go buartha maidin lá arna mhárach ar an turas fhada 'na bhaile leis féin. D'fhág sin an bheirt eile uaigneach ina dhiaidh, go speisialta Dan, mar bhí sé féin agus Tic le chéile ó d'fhág siad an scoil.

Bhí Peadar agus Dan níos taobhaithe le chéile anois agus d'inis Dan cuid mhór scéalta do Pheadar fá Ráth Maoláin, agus dhéanfadh Peadar scéalta a inse fána bhaile féin sa Ghleann do Dan. D'inis Peadar dó gur mhaith leis lá amháin pilleadh agus teach breá a thógáil sa bhaile nuair a bheadh a sháith saothraithe aige agus a bheith ábalta fosta cuidiú a thabhairt dá athair agus b'fhéidir tuilleadh talaimh a cheannacht.

'Caidé fá chailín óg?' arsa Dan. 'Ar fhág tú bean i do dhiaidh?'

Thoisigh Peadar a gháire ach níor thug sé freagair ar bith ar a cheist.

Nuair a fuair siad aithne níos fearr ar an áit a raibh siad, thoisigh an bheirt a fháil bus isteach go dtí an baile mór ag an deireadh seachtaine. Bhí rud beag airgid sábháilte acu i ndiaidh cúpla mí oibre. Nuair a chonaic siad stainníní ag díol bróg agus éadaigh, cheannaigh an bheirt éadach agus bróga troma fá choinne an gheimhridh. Bhí cuid mhór iontaisí le feiceáil ar an bhaile mhór: tithe pictiúirí, hallaí damhsa, tithe itheacháin agus tithe ólacháin. Bhí siad go fóill rud beag faiteach le dhul isteach i gcuid acu, ach rinne siad i gcónaí cinnte béile breá a ithe sula rachadh siad ar ais ar an bhus go dtí a lóistín.

Smaointigh Peadar ar a mhuintir sa bhaile go minic agus scríobh sé chucu achan mhí. Chuir sé i gcónaí punta nó dhó chucu sa litir agus bheadh lúcháir mhór ansin air nuair a gheobhadh sé litir ar ais ó Shíle, í scríofa i lámh dheas néata, ag cur síos ar an dóigh a raibh siad uilig sa bhaile.

Char fhan Dan ach seal gairid fá Albain ina dhiaidh sin, nó bhí sé uaigneach i ndiaidh a chara, Tic. D'fhág sé slán ag Peadar agus dúirt leis dá mbeadh sé choíche fá Rath Maoláin, a bheith cinnte agus cuairt a thabhairt air. Chronaigh Peadar go mór é. Bhí sé anois fágtha go huaigneach agus gheall sé a intinn go hiomlán a thabhairt dá chuid oibre.

'Nár dheas dá mbeadh carr agam,' a smaointigh sé lá amháin. 'Dhéanfadh seancheann féin gnoithe agus bheinn ábalta níos mó de chuidiú a thabhairt ag an obair.'

Chuir sé ceist ar John Joe an dtabharfadh sé cead dó freastal ar na háiteacha tógála eile ar maidin go luath, leis na jabanna a fhágáil réidh fá choinne na bhfear. D'inis sé do John Joe go raibh sé ag smaointiú ar sheancharr a cheannacht le hé a thabhairt ó áit go háit.

D'amharc John Joe air tamall agus dúirt: 'A Pheadair, sin

smaointiú ar dóigh. Ach ná bac le carr a cheannacht … i mo gharáiste sa bhaile, tá leoraí beag liath ar ghnách liom féin a thiomáint. Anocht, nuair a bheas obair an lae thart, bhéarfaidh mé suas tú go bhfeicimid an gceolfaidh sí dúinn. Déarfainn féin go bhfuil an bataire marbh ach ní bheimid i bhfad ag réitiú sin.'

Nuair a tháinig John Joe fána choinne ag deireadh an lae, thiomáin an bheirt go teach John Joe. Bhain sé an glas de dhoras an gharáiste agus nuair a d'fhoscail sé suas é, bhí an leoraí beag galánta seo ina shuí roimhe. Cha dtiocfadh le Peadar é a creidbheáil.

Cheangail siad suas bataire an leoraí le bataire charr John Joe.

'Léim isteach go bhfeicimid,' arsa John Joe, agus shín sé chuige an eochair.

I ndiaidh cúpla casadh, thoisigh an t-inneall.

'Anois,' arsa John Joe. 'Tabhair leat í fá choinne do chuid oibre.'

D'amharc Peadar ar John Joe go faiteach agus d'aithin John Joe ansin nach raibh Peadar ábalta tiomáint, mar nár thiomáin sé carr ariamh roimhe sin. Bhí náire bheag ar Pheadar. Chaith John Joe an chuid eile den tráthnóna ag taispeáint do Pheadar cén dóigh leis an leoraí a láimhseáil agus sular éirigh sé dorcha an oíche sin bhí eolas maith ag Peadar ar an leoraí. Shíl Peadar gurb é seo an leoraí a ba dheise a chonaic sé ariamh agus bhí sé ag gabháil a thabhairt cúram mór di.

Bhí Peadar ina chuidiú mhór ag John Joe ina chuid oibre agus thug John Joe aire mhaith dó as a shaothar. Achan tráthnóna, bheadh cruinniú acu fá obair an lae. Cha dtiocfadh le John Joe creidbheáil an t-uchtach a bhí an stócach óg seo ag tabhairt dó, agus bhí a chroí istigh ann. Gan clann ar bith aige féin, mhothaigh sé go raibh Peadar mar mhac aige.

Sa bhaile sa Ghleann, bhí an scoil fágtha anois ag Síle agus í ábalta cuidiú mór a thabhairt dá muintir. Bhí a fhios aici nach raibh mórán seans go mbeadh sí ag gabháil thar sáile cosúil le Peadar, mar go raibh a máthair agus a hathair ag éirí aosta agus thit sé uirthise fanacht agus amharc ina ndiaidh. Bhí a croí istigh ina tuismitheoirí agus gheall siad an teach agus an píosa talaimh di, ach chan sin le ráit go raibh suim de chineál ar bith aici a bheith ag feirmeoireacht.

Bhí Peadar iontach maith daofa i gcónaí agus tháinig sé 'na bhaile fá choinne cúpla seachtain an Nollaig sin. Bhí lúcháir an domhain ar a mhuintir nuair a chonaic siad é ag teacht isteach.

'A Dhia inniu,' arsa an mháthair agus í ina rith chuige agus a dá lámh amuigh le croí mór isteach a thabhairt dó. 'Nach tú a líon amach go galánta!' D'amharc sí síos agus suas air agus í ag ól suas an bomaite aoibhinn seo.

Chroith sé a lámh lena athair, ansin rith sé chuig Síle agus chuir a dhá lámh thart uirthi agus luasc thart i lár an urláir í agus thoisigh siad uilig a gháire.

'A Pheadair, a chroí,' arsa an t-athair. 'Tá fáilte agus fiche romhat!'

Nuair a fuair siad a n-anáil agus shocraigh siad uilig síos, d'inis Peadar cuid mhór scéalta daofa fá hAlbain agus na cairde a rinne sé agus na fir as Ráth Maoláin a bhí go cairdiúil leis go dtí gur phill siad 'na bhaile. Tháinig na comharsanaigh isteach ag cur fáilte mhór roimh Pheadar agus dúirt siad uilig go dtearn an t-athrú fear de.

Nuair a d'imigh Peadar i ndiaidh laethanta saoire na Nollag, bhí siad brónach ach cha raibh an cumha céanna orthu agus a bhí an chéad lá a d'fhág sé an baile.

D'fhan Peadar ag obair le John Joe agus bhí ceangal maith eatarthu i gcónaí.

8.

Tiocfaidh an samhradh

THÁINIG AN BHLIAIN ÚR AGUS AN tEARRACH INA diaidh agus thoisigh na bachlóga ag fás ar na crainn agus na toir bheaga ag éirí glas, síos dhá thaobh an ghleanna. Bhí na huain go meidhreach sna cuibhrinn agus na héanacha gnoitheach ag déanamh a gcuid neadracha. Thug an t-am seo de bhliain sásamh agus uchtach do na daoine ag amharc ar an bheocht.

Bhí Bríd anois trom le leanbh agus uirthi an obair throm uilig a fhágáil ag Pádraig. Rinne na girseachaí a ndícheall cuidiú léi fosta nuair a thagadh siad 'na bhaile ón scoil achan lá. Bhí sí féin agus an teaghlach ag fanacht lá agus oíche leis an bhabaí bheag úr a theacht agus sa deireadh nuair a tháinig a ham, cuireadh fá choinne na mná glúine. Nuair a tháinig na girseachaí 'na bhaile ón scoil an lá sin, ba orthu a bhí an lúcháir deirfiúr bheag úr a bheith ag fanacht leo. Baisteadh Máirín uirthi. Bheadh scéal mór le hinse acu dá gcairde uilig an chéad lá eile ar scoil.

Chuidigh na girseachaí le mamaí an cliabhán a bhogadh agus ceol a dhéanamh leis an leanbh a chur a chodladh. Shuigh an cliabhán sa chisteanach ag taobh na tine sa lá, sa dóigh go mbeadh Bríd ábalta a súil a choinneáil uirthi agus í a thógáil amach nuair a bheadh ocras uirthi.

Má bhí sé ráite go raibh Siobhán agus Bríd Óg dóighiúil galánta, bhí Máirín Bheag ag gabháil a bheith ina rós álainn.

Dúirt achan duine go raibh sí mar phictiúr a máthara. Bhí an teaghlach uilig go sásta leis an bhabaí bheag seo.

Thug na comharsanaigh cuairt le fáilte a chur roimpi. D'fhág corrdhuine bronntanas beag; péire stocaí linbh nó bearád beag fá choinne an gheimhridh, nó cúpla scilling, nó bhí sé ráite go raibh ádh le píosa beag airgid a fhágáil faoin philiúr sa chliabhán.

Bhí Máirín Bheag anois ag déanamh go maith, ón am a fuair sí an chéad fhiacail, go dtí an uair a bhí sí dá tarraingt féin ar a tóin thart ar an urlár ag iarraidh a bheith ag siúl.

'Cha dtiocfadh leat í a choinneáil glan,' a dúirt Bríd lena cara maith, Maerí Bheag, a bhí istigh ar cuairt.

'Maise,' a dúirt Maerí Bheag, 'nach sin an dóigh ar thoisigh muid uilig! A thaisce, ná bac leis an tsalachar! Tá sí ag déanamh go maith, rath Dé uirthi ... agus éist léi ag iarraidh focal a ráit!'

'Tá sí ábalta "mamaí" agus "daidí" a ráit,' arsa Bríd go bródúil, 'agus tá a cuid scamhóg láidir go leor, nó chluinfeá thíos ag bun an bhaile í nuair a bhíonn ocras uirthi!'

Nuair a bhí sí bliain d'aois, thoisigh sí a shiúl, ansin bhí sí lena mamaí amach is isteach, corruair ag cur moill uirthi, agus í ag iarraidh a cuid oibre a dhéanamh.

Chuidigh Pádraig agus na páistí léi thall agus abhus agus de réir a chéile d'éirigh sí láidir agus í anois ábalta rith amach is isteach ag cuidiú lena máthair móin nó uisce a thabhairt isteach agus sheasaigh sí ag a taobh ar chathaoir ag ní na soithí. Chuaigh sí síos chun an tsiopa léi agus bhí muintir an tsiopa iontach maith di. Thiocfadh leat a ráit go raibh mamaí agus an ghirseach bheag seo iontach leagtha ar a chéile. Ag ceithre bliana d'aois mar sin, nuair a d'fhoscail an scoil i ndiaidh laethanta saoire an tsamhraidh agus tháinig an t-am le Máirín Bheag a chur 'na scoile, is in éadan a tola a lig Bríd síos í.

Bhí dúil iontach ag Máirín ar scoil agus rinne sí cairde leis na páistí beaga uilig. Ach bhí cara amháin a raibh grá speisialta aici dó agus ba é seo Niall Óg Ó Baoill, a bhí ar an aois chéanna léi féin.

Nuair a bhí na páistí gnoitheach ag déanamh a gcuid ceachtanna san oíche, dúirt Bríd Óg lena mamaí tráthnóna amháin: 'Tá cara ag Máirín ar scoil.'

'An bhfuil anois?' arsa mamaí. 'Nach bhfuil sin go deas. Cén t-ainm atá uirthi?'

Thoisigh na girseachaí a gháire.

'A mhamaí, Niall Ó Baoill an t-ainm atá air. Is maith liom Niall,' arsa Siobhán.

'Nach é sin mac mhuintir an tsiopa?' arsa Bríd.

'Sea!' arsa na girseachaí.

Achan lá scoile, bhéarfadh Niall milseán leis go speisialta fá choinne Mháirín agus chaith siad am lóin ag déanamh cuideachta. Nuair a d'éirigh Niall rud beag níos sine, ba ghnách leis cead a fháil óna mháthair siúl aníos an bealach mór le Máirín. D'aithin achan duine go raibh cairdiúlacht speisialta eatarthu. Fiú amháin maidin Dé Domhnaigh, nuair a thiocfadh teaghlach Uí Bhaoill aníos an bealach mór ag gabháil go hAifreann Dé, d'fhanfadh Niall ar gcúl ag fanacht le Máirín. Ba ghnách leis na páistí a bheith ag magadh orthu: 'Niall agus Máirín ... ag gabháil a phósadh!' Agus choinnigh siad rann an mhagaidh seo suas, ach char chuir seo isteach ná amach ar an bheirt bheaga.

Cuid III

1.

Athrach saoíl

TRÁTHNÓNA AMHÁIN AGUS MAERÍ BHEAG AR A bealach go dtí an siopa, thug sí cuairt bheag ar Bhríd agus í amuigh ag ní éadaigh sa tobán mhór le taobh an dorais.

'Tá tú gnoitheach i gcónaí, a Bhríd!' ar sise.

'A Dhia, tá mo dhroim briste. Goitse isteach agus beidh braon tae againn.'

Shuigh an bheirt síos ag comhrá.

'Ar chuala tú fán chruinniú atá le bheith thíos sa scoil tráthnóna Dé Máirt ar a hocht?' arsa Maerí Bheag.

'Char chuala!'

'Bhal, an sagart a labhair air ón altóir Dé Domhnaigh.'

'Sin an rud,' a dúirt Bríd. 'Cha raibh mé thiar ag an Aifreann inné mar go raibh tinneas cinn millteanach orm agus b'éigean domh luí síos ar feadh cúpla uair.'

'A Dhia, a chroí!' arsa Maerí Bheag.

'Sea,' arsa Bríd, 'thug Rósaí Mhór rása isteach ar maidin agus dúirt sí go raibh sé ráite ag na seandaoine go gcuirfeadh lá trom dorcha, leis na néalta ar a nglúine ag bun na gcnoc, teannadh ar an inchinn.'

'Maise,' arsa Maerí Bheag, 'b'fhéidir gur scéal fíor é. Agus is é an scéal atá liomsa ná gur iarr an sagart ar mhná agus ar fhir na háite a bheith ansin in am mar go bhfuil oifigeach as an Bord Leictreachais ag gabháil a bheith ansin ag tabhairt cainte.'

Tháinig tráthnóna na Máirt agus bhí an baile i láthair. Isteach leis an tsagart agus leis an oifigeach. D'inis sé do na daoine go mbeadh scaifte fear ag teacht gan mhoill ag obair ag cur isteach postaí sa talamh. 'Beidh siad ag obair go crua agus iad ag gabháil ó bhaile go baile agus in am gairid beidh solas leictreach i ngach teach.'

Cha dtiocfadh leis an chruinniú é a chreidbheáil agus bhí an chraic maith ag cuid acu ar an bhealach 'na bhaile.

'Cha bhíonn feidhm leis na seanlampaí ola níos mó!' arsa Méidí.

'Cha chuireann muid ar taobh iad go fóill,' arsa Maerí Bheag, 'go bhfeicfidh muid caidé atá ag teacht!'

Thug an píosa nuachta seo uchtach mór do na daoine agus thar an tréimhse sin thoisigh biseach a theacht ar an áit. Bhí tithe úra á dtógáil agus seantithe á nglanadh suas agus d'éirigh daoine níos bródúla as a gcuid tithe nuair a bhí an solas istigh acu.

Chuaigh na blianta isteach go gasta agus Bríd gnoitheach ag amharc i ndiaidh a clainne. Bhí an bheirt ghirseach is sine ag déanamh go maith ar scoil ach d'aithin an múinteoir nach raibh Máirín Bheag ag coinneáil suas leis an chuid eile den rang agus ag tús na bliana choinnigh sí siar í. Bhí croí Mháirín Bheag briste. Cha bheadh sí ábalta suí ag taobh a cara Niall níos mó nó bhí girseach bheag eile ag glacadh a háit anois agus thug seo uirthi a sáith caointe a dhéanamh. Dúirt an múinteoir léi, dá mbeadh sí ina girseach mhaith agus a cuid ceachtanna uilig a fhoghlaim go ligfeadh sí isteach i rang a trí í gan mhoill. Shásaigh seo go mór Máirín agus rinne sí a dícheall uaidh sin amach coinneáil suas leis an chuid eile. Chuir sí isteach iarracht mhór agus nuair a chonaic an múinteoir an feabhas a tháinig uirthi, lig sí suas isteach sa tríú rang í sa deireadh.

Bhí suim mhillteanach ag Máirín sa chleiteáil agus achan tráthnóna nuair a bhí a cuid ceachtanna déanta, shuíodh sí síos cois tine, cosúil lena mamaí, agus gheobhadh sí a cuid dealgán. D'fhoghlaim sí ar tús an dóigh le lúbacha a chur suas ar na dealgáin agus ansin lúb sleamhain agus lúb rigín a chleiteáil agus nuair a chuaigh na blianta thart cha raibh trioblóid ar bith aici sáil stocaí a thiontú nó na patrúin dhoilí a bhí a máthair ag cleiteáil a phiocadh suas. D'fhiafraigh Bríd di féin caidé an dóigh a raibh girseach óg mar seo ag titim ar gcúl ina cuid ceachtanna, nuair nach raibh trioblóid ar bith aici patrúin dhoilí a phiocadh suas óna máthair sa bhaile, ach sin scéal eile. Bhí scaiftí móra in achan rang agus cha raibh faill ag múinteoirí scoile cuidiú speisialta a thabhairt do pháiste a bhí ag titim ar gcúl.

Chaith Máirín agus Niall, agus deartháir do Niall, stócach beag darbh ainm Fionnán, a gcuid laethanta saoire ag súgradh thart fá na cuibhrinn ghlasa ag cruinniú bláthanna fiáine agus ag rith thart fán abhainn ag iascaireacht agus ag snámh. Bhí tréan spóirt acu fosta ag déanamh folacháin. Ach, bhí orthu súil ghéar a choinneáil ar an eallach agus gan iad a ligean isteach sna prátaí ná sa choirce. Chaithfeá a ráit go raibh saol aoibhinn galánta acu ó mhaidin go hoíche agus ó Luan go Domhnach.

2.

Gealltanais

CHUAIGH NA BLIANTA THART GO GASTA AGUS BHÍ NA girseachaí anois mór agus Siobhán ag siúl amach le Seán Ó Cuireáin. Tháinig Seán ó theaghlach deas a bhí ina gcónaí ag a dtaobh i mbaile beag an Ghleanna agus ba ghnách leo uilig siúl 'na scoile le chéile nuair a bhí siad óg. Bhí jab beag ag Siobhán ag obair do Chlann Uí Bhaoill, lucht an tsiopa. Chaith sí an chuid is mó dá cuid ama thíos i dteach Uí Bhaoill ag cócaireacht, ag glanadh suas agus ag coinneáil súil ghéar ar an bheirt pháistí, Niall agus Fionnán. Bhí sí iontach maith don dá ghasúr nó bhí a fhios aici go raibh Niall iontach mór lena deirfiúr beag, Máirín. Cha raibh mórán de phá aici, ach bhí fáilte roimh achan phingin mar go raibh sí féin agus Seán ag caint ar phósadh.

Chaith Seán bunús a chuid ama ag obair ar an fheirm lena athair ach cha raibh airgead ar bith ag teacht as sin. Thoisigh seisean a ghlacadh jabanna beaga thall is abhus, agus cá bith airgead a shaothraigh sé, chuir sé i dtaisce é. B'fhearr lena dheartháir, Mánus, nuair a fuair sé cead a choise, a dhul trasna na farraige go hAlbain a dh'obair ar na prátaí ach d'fhanadh Seán sa bhaile achan bhliain ag tabhairt lámh chuidithe dá athair.

D'fhan Bríd Óg thart fán teach ag cuidiú lena máthair féin ag timireacht, ag déanamh réidh dinnéir agus ag déanamh obair tí ar bith a bhí le déanamh. Ach cha raibh a fhios ag duine ar bith go raibh Bríd Óg i ngrá le Mánus, deartháir Sheáin. Ba ghnách leo bualadh suas le chéile i ngan fhios dá muintir thíos i gcúl chlaí mór na haiteannaí nuair a bhí siad ag amharc i ndiaidh an eallaigh. An oíche dheireanach ag an chéilí, agus an bheirt ag siúl 'na bhaile, thug Mánus póg di agus cha dtiocfadh léi an smaointiú seo a chur as a ceann ná as a croí. Ansin, chuala sí caint go raibh Mánus ag gabháil go hAlbain arís fá choinne shéasúr na bprátaí agus chuir sin pian uirthi. Má bhí an scéal fíor, bhí sí ag gabháil a bheith iontach uaigneach ar fad ina dhiaidh. Chuirfeadh sí ceist air tráthnóna nuair a bheadh siad ag tabhairt 'na bhaile an eallaigh.

Bhí sí ag fanacht go crua leis an lá a dtiocfadh léi siúl amach le Mánus, ach bhí a fhios aici nach mbeadh cead acu go fóill, cionn is go raibh siad ró-óg. Stócach breá acmhainneach a bhí ann a dhéanfadh a chomhairle féin agus bhí dúil aici a bheith thart air.

Tráthnóna amháin, bhí Seán agus a chairde ar an bhealach 'na bhaile i ndiaidh lá a chaitheamh ar an aonach i nGort a' Choirce. Stop siad ag teach leanna Dixon i Mín Lárach agus bhí siad uilig ina suí thart ag comhrá agus ag déanamh craice nuair a shiúil fear muintreach do Sheán isteach, fear darbh ainm Seoirse Mhicí. I ndiaidh tamaill, shiúil sé anall go dtí an scaifte a bhí ag ól dí ag an tábla agus i ndiaidh comhrá beag fán iascaireacht agus fán aonach, chuir ceist orthu an mbeadh suim acu in obair. Sin nuair a d'inis sé daofa fán jab a bhí ag teacht aníos aige féin agus cúpla cara dó gan mhoill i mBaile Átha Cliath.

'Foirgneamh mór ard atá le tógáil. Beidh achan chineál oibrithe a dhíobháil; bríceadóirí, siúinéirí, pláistéirí agus cuid mhór fear eile le cuidiú leo,' ar seisean. 'Agus níl an pá go holc ach oiread! Caidé bhur mbarúil? Thig libh smaointiú air agus má tá suim agaibh a theacht linn, beidh muid ag tiomaint suas an tseachtain seo chugainn agus ba mhaith liom freagair a fháil roimhe sin.'

Cha dtiocfadh le Seán fáil 'na bhaile gasta go leor leis an scéal a inse do Shiobhán.

'Tá mé ag gabháil a ghlacadh an jab úr seo agus beidh an t-airgead iontach tábhachtach fá choinne an phósta. Tá mé ag gabháil suas amárach le focal a bheith agam le d'athair agus le do mháthair agus le do lámh a iarraidh,' ar seisean.

Bhí Siobhán lán le lúcháir ach imníoch ar son Sheáin bhoicht, mar ba í an bhean a ba shine sa chlann agus bhí a fhios aici go mbeadh Pádraig Shéamuis buartha fúithi.

Le scéal fada a dhéanamh gairid, fuair an bheirt cead agus beannacht.

Bhí Pádraig Shéamuis agus Bríd ina suí le chéile i ndiaidh am tae ag comhrá fán bheirt óga.

'Beidh Siobhán cronaithe go mór,' arsa Bríd. 'Bhí sí i gcónaí ina cuidiú mhaith agam.'

'Bhí,' arsa Pádraig. 'Ach tá Seán ag teacht ó theaghlach maith críonna agus tá an t-ádh mar sin uirthi.'

Bhí tuismitheoirí Sheáin ag gabháil a bheith brónach agus uaigneach go raibh sé ag imeacht, nó bhíothas ag gabháil a chronú go mór fán bhaile. D'imigh Seán suas go Baile Átha Cliath an Luan ina dhiaidh sin le Seoirse Mhicí. D'oibir sé le Seoirse i rith an gheimhridh agus nuair a tháinig seachtain na Cásca tháinig sé 'na bhaile le Siobhán a phósadh. Fuair sé coicís saoire. I ndiaidh Aifreann galánta an phósta, bhí bainis mhór ag an teaghlach agus ag na comharsanaigh i dteach Phádraig Shéamuis. Bhí tréan ceoil, damhsa agus craice acu uilig go maidin. I ndiaidh an chomóraidh, chuaigh an lánúin óg ar chúpla lá saoire suas go Béal Feirste.

Seachtain ina dhiaidh sin, d'imigh Siobhán agus Seán go Baile Átha Cliath, ag fágáil a ndá theaghlach agus an gleann ina ndiaidh. Chónaigh siad ar feadh seal sa lóistín a bhí ag Seán nuair a chuaigh sé suas a dh'obair ar tús; seomra amháin a bhí ann agus bhí orthu siúl suas trí staighre. Bhí an seomra beag cúng le deora fearthainne ag teacht isteach ann agus na ballaí fuar fliuch. Anois a chronaigh siad na tithe beaga seascair a bhí acu sa bhaile. Choinnigh siad ag cuartú achan tráthnóna go bhfuair siad dhá sheomra bheaga le cisteanach i lár an bhaile mhóir agus bhí a gcroíthe sásta arís. Bhí cuid mhór oibre le déanamh air: na ballaí le péinteáil, cuirtíní úra le crochadh ar na fuinneoga agus cuid mhór rudaí mar sin, ach bheadh orthu fanacht go mbeadh rud beag airgid cruinnithe. Fuair Siobhán jab ag amharc i ndiaidh páistí beaga i gceann de na tithe móra agus bhí sí ábalta bus a fháil taobh amuigh den lóistín a thug go dtí a cuid oibre í.

Tiocfaidh an samhradh agus fásfaidh an féar,
Tiocfaidh an duilliúr glas ar bharr na gcraobh,
Tiocfaidh mo rúnsa le bánú an lae
Agus buailfidh sí tiúin suas le cumha mo dhiaidh.

3.

Bríd Óg

CHUAIGH CUID MHÓR FEAR ÓN TAOBH SEO TÍRE anonn go hAlbain a phiocadh prátaí ag deireadh an fhómhair mar bhí tréan oibre le fáil thall ag na feirmeoirí móra. Chuaigh Mánus leo an bhliain seo arís le rud beag airgid a shaothrú agus d'fhan sé thall thar an gheimhreadh ag obair ar fheirm in Ayrshire. Scríobh sé anall chuig Bríd Óg go rialta ag inse di an méid a bhí sé i ngrá léi agus ag rá go mbeadh sé 'na bhaile gan mhoill fá choinne í a phósadh. Cha dtiocfadh le Bríd Óg fanacht leis an lá, bhí sí chomh tógtha sin, agus í ar bharr na gaoithe.

Nuair a d'fhág Siobhán an jab beag a bhí aici le muintir Uí Bhaoill le himeacht go Baile Átha Cliath, chuaigh Bríd Óg ina háit sa tsiopa. Bhí sí ag gabháil a shábháil achan scilling a shaothraigh sí go mbeadh sí ábalta éadaí brídeoige a cheannacht fá choinne an lá mór. Chonaic sí cúpla culaith dheas i siopa éadaigh Uí Annluain ar na Croisbhealaí. Bhí a cuid súl aici ar dhá chulaith, ceann buí agus ceann bándearg, ach bhí a croí ag gabháil leis an chulaith bhuí. Bhí muinchille fhada uirthi agus cnaipí galánta de phéarlaí geala thart ar a muineál agus ar chufaí na muinchillí. Sa tsiopa chéanna, chonaic sí hata deas bán a raibh caille air a bheadh fóirsteanach do bhrídeog. A Dhia, bhí a croí chomh tógtha sin nach dtiocfadh léi fanacht leis an lá. Bhí Máirín Bheag anois cúig bliana déag agus bhí sise ag gabháil a sheasamh léi.

Nuair a tháinig Mánus 'na bhaile ag deireadh an tsamhraidh, bhuail sé suas le Bríd Óg go luath agus chaith siad tamall ag tabhairt croí mór isteach dá chéile. Bhí an bheirt lán de ghrá is cha dtiocfadh leo fanacht leis an lá mór. Chaith siad cúpla lá ag caint ar an chomóradh a bhí rompu.

'Tá mé ag gabháil suas gan mhoill fá choinne labhairt le do thuismitheoirí,' ar seisean. 'Caidé do bharúil ... an dtabharfaidh siad cead ár gcinn dúinn?'

'Tá a fhios agam go mbeidh rud inteacht le ráit ag mo mháthair nuair a chluinfidh sí an scéal, mar go mbeidh siad fágtha ansin leo féin agus Máirín Bheag. Agus mo dhaidí ... sin scéal eile! Thig leis a bheith casta go leor corruair ... ag cur ceisteanna fá seo agus siúd ... ach déarfainn go bhfuil sé taobhach go leor leatsa, a Mhánuis. Beidh sé go breá!'

Ach, ina dhiaidh sin uilig, bhí Bríd Óg í féin rud beag buartha nó bhí a fhios aici go raibh Mánus tógtha go mór le hAlbain.

Lá arna mhárach, nuair a thug Mánus cuairt ar theach Phádraig Shéamuis leis an cheist a chur, chuir Pádraig ceist air cá háit a raibh sé ag gabháil agus caidé an cineál oibre a bhí sé ag gabháil a chuartú. D'inis Mánus dó go raibh aintín dó ina cónaí i nGlaschú agus gur chuir sí cuireadh orthu fanacht leo go bhfaigheadh siad a gcosa. Nuair a chonaic Pádraig go raibh socruithe siosmaideacha déanta ag Mánus agus go dtabharfadh sé aire mhaith do Bhríd bhí sé sásta agus fuair an bheirt óga a mbeannacht.

Pósadh Bríd Óg agus Mánus ag deireadh an tsamhraidh, seachtain nó dhó i ndiaidh é a theacht 'na bhaile agus char shiúil brídeóg chomh hálainn suas go haltóir Dé go dtí sin. Dúirt achan duine go dtearn siad lánúin ghalánta ar fad. Bhí lá mór acu féin agus na comharsanaigh i dteach Phádraig

Shéamuis; ag ithe, ag ól, le tréan craice agus ceoil.

I ndiaidh í cúpla lá a chaitheamh le Mánus sa bhaile, chuaigh Bríd Óg leis anonn go hAlbain. Bhí aintín Mhánuis ag fanacht leo i nGlaschú, bean darbh ainm Cit John agus a fear céile, Bearnaí, as Faoi Chnoc. Bhain Bríd Óg agus Mánus faofa ansin go bhfuair siad áit daofa féin. Rinne Mánus suas a intinn fanacht thart fá Ghlaschú sa dóigh is go mbeadh Bríd Óg ábalta jab a fháil fán bhaile mhór. Chaith Mánus bocht cúpla seachtain ag gabháil ó áit go háit ag cuartú oibre dó féin, agus gan mórán áidh air, go dtí sa deireadh, oíche amháin, bhí sé istigh i dteach leanna le Bearnaí ag ól dí, nuair a bhuail sé suas le cara agus fear muintreach do Chit a bhí ag obair ag comhlacht iarnróid Albanach. Fear ard láidir darbh ainm Tomás Pheigí as Doirí Beaga.

D'inis sé do Mhánus an obair a bhí ar bun ag an chomhlacht seo. Chaith siad an chuid is mó dá gcuid ama ag cur síos ráillí traenacha leathchéad míle taobh amuigh den chathair.

'Sin an scéal,' arsa Tomás. 'Tá an obair crua, ach tá a fhios agam nach raibh Clann Uí Chuireáin ariamh fuar ná falsa. Thig leat a theacht liom amárach más mian leat.'

'Bhal,' a dúirt Mánus, 'rachaidh mé leat go bhfeicimid agus tá mé buíoch den tseans.'

Tráthnóna lá arna mhárach, nuair a tháinig Mánus 'na bhaile, bhí sé iontach sásta ar fad agus scéal maith aige le hinse do Bhríd Óg.

Cúpla lá ina dhiaidh sin, bhí Bríd Óg ag tabhairt cuidithe do Chit éadach salach a thabhairt go teach níocháin a bhí thíos in aice le Charing Cross. Cha dtiocfadh le Bríd creidbheáil nuair a chonaic sí na meaisíní níocháin móra a bhí acu leis an éadach a ní iontu, agus smaointigh sí ar an obair chrua a bhí ag a máthair bhocht agus mná na háite ag ní éadaigh lena lámha.

D'fhág siad mála an éadaigh agus dúirt go mbeadh siad ar ais tráthnóna fána choinne.

Nuair a bhí siad ag fágáil, chonaic Bríd Óg fógra thuas ar an fhuinneog. Bhí siad ag cuartú oibrithe fá choinne ceithre lá den tseachtain le hoibriú sa teach níocháin. D'amharc Bríd Óg ar Chit agus ar sise: 'Caidé do bharúil?'

Thiompaigh an bheirt ar a gcosa agus isteach leo arís. Chuir siad ceist ar bhean mheánaosta a bhí ag obair ar na meaisíní fán fhógra san fhuinneog.

'Caithfidh sibh ceist a chur ar Tess,' ar sise ag síneadh a méar i dtreo na hoifige.

Shiúil Cit agus Bríd Óg suas go dtí an doras agus bhuail buile beag air. Chuir Tess a ceann amach.

'Tá muid anseo fán fhógra,' arsa Cit. 'Tá girseach anseo a bhfuil suim aici ann.'

'Ó, maith an bhean,' a dúirt Tess. 'An mbeidh tú ábalta oibriú ón Luan go dtí an Déardaoin, seachtain amháin, agus ón Mháirt go dtí an Aoine, an dara seachtain?'

'Beidh agus fáilte!' arsa Bríd Óg.

Nuair a tháinig Mánus 'na bhaile an tráthnóna sin, bhí lúcháir ar Bhríd Óg go raibh scéal maith aici dó.

Bhí an bheirt ag déanamh go breá anois. Bhí obair acu agus i ndiaidh seachtain ag cuartú lóistín, bhí an t-ádh orthu cúpla seomra beag a fháil míle nó mar sin ó Chit agus Bearnaí. Bheadh siad ábalta bualadh suas lena gcuid daoine muintreacha corruair fá choinne cuideachta agus craice. Bhí dúil mhór ag Bríd Óg sa chathair, sna siopaí galánta agus na hiontaisí uilig a bhí le feiceáil ann, agus nuair a rachadh Cit ag siopadóireacht ag an deireadh seachtaine, ba mhaith an leithscéal sin í a bheith léi.

Bhí Cit iontach maith daofa agus ba ghnách léi rudaí beaga

a cheannacht fá choinne an tí. Nuair a thiocfadh sí 'na bhaile i ndiaidh lá siopadóireachta, ní bheadh as Bríd ach: a Mhánuis, fan go bhfeicfidh tú na nithe galánta a cheannaigh Cit dúinn! Agus bhí siad iontach buíoch.

Cha raibh teaghlach ar bith ag Cit agus Bearnaí, agus maram go raibh siad uaigneach, agus iontach sásta san am chéanna, a bheith thart ar aos óg. Nuair a bhí Bríd Óg amuigh ag caitheamh airgid fá shráideacha na cathrach, bhí Mánus gnoitheach sa lóistín ag cur suas seilfeanna sa chisteanach bheag fá choinne cupaí agus plátaí agus ag déanamh obair fheabhsúcháin eile mar sin.

4.

Rósaí Mhór agus Fear an Phoist

B'AS AN BHAILE LÁIR DO RÓISE SHEÁIN NIC FHIONN-
ghaile agus tháinig sí go dtí an Gleann nuair a phós sí Pat Ó
Cuireáin. Rósaí Mhór a tugadh uirthi fán Ghleann. Fear poist
an cheird a bhí ag Pat. Bhí sé muintreach do Sheán agus do
Mhánus Ó Cuireáin agus cionn is go raibh an ceangal pósta
sin ann le clann Phádraig Shéamuis bhí leithscéal aige i gcónaí
cuairt a thabhairt ar theach Phádraig agus ceist a chur fán aos
óg agus cupa beag tae a ól, nuair a bhí sé ag gabháil thart leis
na litreacha.

Bhí Pat bacach ó bhí sé ina leanbh. Ba ghamhain a shiúil
ar a chos bheag, nuair a d'fhág a mháthair síos ar shopóg
cocháin é agus í ag blí na bó. Nuair a bhí sé ag éirí aníos, ba
ghnách leis bróg ard a chaitheamh ar an chos ghairid. Is iomaí
uair a bheadh aos óg an bhaile ag magadh air fá na sálaí arda.

Bhí sé i gcónaí cóirithe suas ina chulaith dhorcha ghorm,
a chaipín píce agus a mhála poist caite siar ar a dhroim. Ba é
an rothar a thug ó áit go háit é na blianta luatha sin. Fear
garach a bhí ann mar Phat agus cha dtiocfadh leat duine ní ba
dheise a fháil. Bhí sé i gcónaí suaimhneach agus cineálta ina
chuid dóigheanna agus chuirfeadh daoine iontas ann caidé a
chonaic sé ariamh i Rósaí Mhór.

Bhí Rósaí cúpla orlach níos airde ná é agus cuma uirthi go
raibh sí i bhfad níos bríomhara. Bhí sí i gcónaí cóirithe in

éadach dubh; sciorta fada, geansaí agus bróga arda. Bhí gruaig dhubh uirthi a bhí ag éirí liath agus í cíortha siar le pleata fada síos ar chúl a cinn. Bhí cuil an cheannaire uirthi, cosúil le múinteoir scoile nó duine údarásach mar sin, agus bheadh leatheagla ar dhuine nuair a d'fheicfeadh sé í ag teacht. Má chonaic Pat taobh eile de Rósaí, caidé a bhí le ráit? Bean a bhí inti a bhí tugtha don chlabaireacht agus don chúlchaint agus teanga aici nach raibh sí ábalta smacht ná snaidhm a choinneáil uirthi corruair. Go bhfóire Dia ar an té a fuair píosa den teanga chéanna agus í faoi riocht seoil.

Ach bhí taobh eile de Rósaí Mhór a choinnigh sí go ciúin, agus ba sin go raibh croí mór maith aici agus gur iomaí gar déirceach a rinne sí thall is abhus. Cha raibh teaghlach ar bith acu, ach char chuir sin isteach ná amach orthu, mar go raibh siad chomh leagtha isteach ar a chéile. Bhí an teach i gcónaí sciobtha scuabtha aici, mar nach raibh cearc ná páiste le é a shalú. Ar eagla go mbeadh Pat bocht fliuch ag deireadh an lae, bheadh athrú éadaigh ag taobh na tine ag fanacht leis nuair a thiocfadh sé 'na bhaile tráthnóna. Bheadh i gcónaí scéal nó craic de chineál inteacht leis agus cha ndéanfadh sé dearmad de na milseáin, mar bhí a fhios aige go raibh béal milis ag Rósaí Mhór. Mar gheall ar an cheangal idir iad féin agus muintir Phádraig Shéamuis, ba ghnách le Máirín Bheag cuid mhór ama a chaitheamh thall ansin. Bheadh Rósaí Mhór ag teagasc cócaireachta di agus ag inse scéalta di fán tsean-am, agus bhí Máirín Bheag réidh i gcónaí le cuidiú na milseáin a ithe. Bhí croí na beirte istigh sa ghirseach bheag sin.

5.

Oíche chomhrá

'BHÍ CUID MHÓR LUCHT SIÚIL AG GABHÁIL THART AN t-am sin,' arsa Pádraig Shéamuis, é ina shuí cois tine an oíche seo, i ndiaidh lá trom oibre a dhéanamh ar an phortach. Bhí sé ag caitheamh a phíopa agus a dhá chois thuas ar an bhac aige ag caint le Donncha Mháire agus Feilimí John Óig. Bhí siad ag comhrá agus ag smaointiú siar ar na blianta a chuaigh thart.

Bhí aithne speisialta acu ar Fhear na mBuataisí agus ar Sheán an Bhocsa as Toraigh, ach bhí beirt eile a ba ghnách a theacht na blianta sin. Simon Fada agus Salaí Bheag a baisteadh orthu, nó bhí Simon caol ard agus Salaí beag bídeach.

Bhí bascáid bheag i gcónaí ar iompar le Salaí, cosúil le seál cinn a raibh na ceithre coirnéil ceangailte air. Nuair a thiocfadh siad isteach, d'fhágfadh Salaí síos an bhascáid go cúramach eatarthu. Bhainfeadh sí an tsnaidhm de na coirnéil agus shínfeadh sí an seál amach ar an urlár mar bheadh bratach ann. Bhí achan sórt rudaí beaga á ndíol aici; rudaí cosúil le cíora agus pionnaí gruaige, scátháin bheaga, pictiúirí naofa, Coróin Mhuire, soithí beaga uisce coisricthe agus go leor nithe mar sin. Cheannódh muintir an tí i gcónaí rud beag inteacht agus shásódh sin go mór an péire. Corruair gheobhadh siad cupa beag tae agus i ndiaidh scíste ghairid chuirfeadh Salaí dhá snaidhm ar an tseál agus bhí a bascáid réidh arís lena sciathán a chur fríd agus tabhairt faoin tsiúl bheag go dtí an chéad teach eile.

Bhí cúpla duine eile ag siúl bhóthar an Ghleanna na blianta sin agus daoine galánta a bhí iontu uilig. Bhí cuimhne mhaith ag Pádraig ar fhear acu sin agus is é an t-ainm a bhéarfadh muintir na háite air ná Seán an tSiopa nó an Geabadán. Cha dtiocfadh leis an chréatúr a bhéal a choinneáil druidte agus nuair nach raibh sé ag caint bhí sé ag feadalaí. Bhí dath ar Sheán chomh bán leis an bhalla agus cuma an bháis air i gcónaí. Fear íseal tanaí a bhí ann agus na píosaí éadaigh a bhí air, cha raibh iontu ach bratóga. Ghlac mná na háite trua don fhear bheag seo, agus thug siad i gcónaí rud beag dó le hithe. Bhí cuimhne ag Pádraig ar an chéad lá a dtáinig sé aníos an bealach mór.

'Bhí madadh mór dubh ag muintir Mhícheáil Óig a dtug siad Bleaicí air, ach i ndiaidh tamaill, bhaist Mícheál Óg "Cluasán" air mar nach raibh maith ann le caora ná le bó a thabhairt 'na bhaile, ach ag scanradh an croí amach as achan duine a chuaigh an bealach mór. Sin go díreach an rud a tharla do Sheán an tSiopa bocht, é ag siúl go mall aníos ag teach Mhéabha agus faisean aige a bheith ag feadalaí leis go ciúin, nuair a léim Cluasán amach ag tafann agus a chraos mór foscailte siar go dtí a chluasa agus a chár mór nochta.'

'Ó, a Dhia, tá cuimhne mhaith agam,' arsa Feilimí, 'hobair gur thit Seán bocht i laige leis an scanradh. Rith sé chomh gasta agus a thiocfadh leis go raibh sé thuas i dtigh s'agaibhse, a Phádraig, agus Cluasán sa tóir air. Isteach i ngarradh na bprátaí leis agus suas ar an chrann agus é ag screadaigh agus ag béicí. D'éirigh leis é féin a tharraingt suas cúpla troigh ar an chrann agus greim an bháis aige air. Nuair a chuala na comharsanaigh agus a gcuid madaí an racán, rith siad uilig go dtí an garradh. Chuir siad an tóir ar na madaí agus thug siad tarrtháil ar Sheán bocht. Chuidigh siad leis a theacht anuas ón chrann agus an créatúr ar crith le heagla. Thug tusa isteach chun tí é, nach dtug, a Phádraig, agus rinne cupa láidir tae dó?'

'Rinne leoga, agus chuir mé braon beag de phóitín isteach ann fosta!'

'An bhfuil cuimhne agat fear eile ag siúl thart na blianta sin a dtabharfadh siad Fear an Phota air?' arsa Donncha. 'Chluinfeá an fear seo ag teacht chugat leis an ghliogar agus an tormán agus an trup trap as a chuid soithí itheacháin a bhí ceangailte le corda thart ar a mhuineál, nó b'fhéidir, fríd lúbóg a chóta mhóir, agus a phota dubh á iompar ar a cheann aige. Seo fear nach raibh eagla air roimh ainmhí ná duine, agus dá raibh fán áit ina dhiaidh síos an bealach mór de pháistí agus de mhadaí — na páistí ag gáire agus na madaí ag tafann. Cuid acu ag tafann le Fear an Phota agus an chuid eile ag tafann le chéile agus ag troid. Ó, a Dhia, is acu a bhí racán millteanach agus Fear an Phota ag bagairt go láidir ar na madaí.'

'Tá cuimhne mhaith agam,' arsa Pádraig, 'ar an lá a dtáinig sé, agus Máirín Bheag ina leanbh. Thoisigh Máirín a screadaigh nuair a chonaic sí an fear iontach seo agus cha raibh ciall le cur inti. "A Mhuire, a Mhuire inniu!" arsa Fear an Phota, ag baint an phota dhuibh anuas óna cheann. Shuigh sé ag coirnéal an tábla taobh istigh den doras. Bhí sé ag amharc ar an ghirseach bheag agus a mamaí ag déanamh a díchill í a cheansú. Chuir sé a lámh isteach ina phóca ascaille agus tharraing amach feadóg stáin. Thoisigh an ceol aige. Stad an ghirseach bheag den chaoineadh bomaite, agus d'amharc sí thart air.

'Bhal, bhí leis. D'éirigh sé ina sheasamh agus bhuail buile beag den fheadóg ar thaobh an phota dhuibh cosúil le druma agus ansin thoisigh sé a dhamhsa thart ar an phota. Bhal, le ceol, drumaí agus damhsa, thoisigh an ghirseach beag a gháire; go ciúin ar tús, ach ansin bhuail rachtanna móra gáire í agus bhí a raibh sa teach tinn ag gáire ag amharc ar an fhear siúil. Fear iontach greannmhar a bhí ann, agus dúirt cuid de na comharsanaigh ina dhiaidh sin gur fear de chuid an tsorcais a bhí ann. Sa deireadh hiarradh air suí síos agus bolgam tae a ól agus píosa de thoirtín a ithe. Thug sé buíochas do bhean an tí agus d'fhág sé slán. Chuir sé a phota ar a cheann agus bhí sé ar shiúl go dtí an chéad teach eile.'

'A Dhia,' arsa Donncha Mháire, 'bhí Fear an Phota iontach greannmhar ar fad. Chan fhaca mé ar an bealach seo é le blianta.'

6.

Go deo na ndeor

D'ÉIRIGH MÁIRÍN ANÍOS INA CAILÍN ÁLAINN CINEÁLTA
agus cha raibh focal olc aici do dhuine ar bith. Bhí a croí deas
bog foscailte agus am aici d'achan duine óg agus aosta. Leoga
dúirt daoine go raibh tuigbheáil speisialta aici ar nádúr an
duine. Chaith sí cuid mhór ama thart fán bhaile ag cuidiú lena
máthair agus ag cleiteáil cois tine. Bhí an bheirt iontach mór
le chéile agus cha raibh rún ná scéal ar bith a cheil sí ar a
máthair. D'inis sí do Bhríd nach raibh aon fhear eile ar an tsaol
mhór cosúil le Niall agus go raibh a croí istigh ann, agus,
chomh luath is a thiocfadh sí le haois, go raibh an bheirt ag
gabháil a phósadh. D'inis sí fosta go dtug Niall póg di an oíche
dheireanach a bhí siad ag an chéilí. Bhí Máirín sé bliana déag
ag an am agus chuir seo buaireamh mór ar a máthair mar gur
mheas sí go raibh Máirín ró-óg go fóill.

Satharn amháin agus Niall ag siúl le Máirín 'na bhaile ón
tsiopa, d'inis sé di go bhfuair sé cuireadh a dhul anonn go
Meiriceá. Daoine muintreacha dó a bhí thall a bhí sásta a
bhealach a dhíol anonn. Dúirt siad i litir nach raibh obair ar
bith de chineál ar bith le fáil sa bhaile agus gur mhór an trua
nach raibh sé thall acusan áit a raibh tréan oibre.

'Dúirt m'athair gur seo seans maith domh airgead a
shaothrú....'

D'éirigh Máirín Bheag ciúin agus chuir Niall a dhá lámh

suas lena haghaidh agus thug póg ghrámhar dá béal. Cha raibh focal as Máirín ar feadh tamaill, ansin arsa sise: 'Beidh mé iontach uaigneach i do dhiaidh, a Néill.'

'Beidh mise uaigneach fosta ... ach scríobhfaidh mé chugat go minic. Agus nuair a bheas rud beag airgid sábháilte agam, cuirfidh mé fá do choinne.'

D'fhág siad rudaí mar sin agus chuaigh Niall 'na bhaile.

D'inis Máirín an scéal úr seo do Bhríd agus dúirt léi gur mhaith léi a dhul leis. D'éist Bríd go cúramach le achan fhocal ach chuir an scéal buaireamh millteanach uirthi. Chan ag ráit nach raibh Máirín cliste, ach bhí sí go fóill iontach óg agus soineanta le himeacht go Meiriceá. Girseach a bhí i Máirín a raibh a croí agus a hintinn foscailte d'achan chineál scéil a chreidbheáil ó strainséirí. Bhí a fhios ag Bríd fosta an turas fada a bheadh roimpi agus gan duine le hamharc ina diaidh. Bhí a deartháir féin, Mícheál, thall ansin le blianta agus é gnoitheach ag amharc i ndiaidh a theaghlaigh féin. Ach, cha dtiocfadh le Bríd an t-ionsaí a rinne Muiris Thaidhg uirthi an lá úd a chur as a ceann. Bhí an lá dubh sin chomh soiléir go fóill ina súile agus tháinig crith agus scanradh mór uirthi. Bhí eagla a croí uirthi go dtarlódh a leithéid do Mháirín. Cha raibh sí ag gabháil a bheith ábalta scaradh lena peata beag féin agus b'éigean di inse do Mháirín nach mbeadh sí ag gabháil an bealach fada sin léi féin.

D'fhág an scéal seo Máirín bhocht iontach cráite ar fad. Cúpla lá ina dhiaidh sin, chuir Niall scéala chuig Máirín go mbeadh sé ag imeacht i gceann cúpla lá agus go mbuailfeadh siad suas le chéile an lá roimh ré. Bhí lúcháir ar Mháirín i gcónaí bualadh suas le Niall agus an lá seo chaith sí tamall fada ag cóiriú agus ag cíoradh. Chuir sí uirthi culaith ghalánta bhuí agus chíor sí a cuid gruaige siar go deas agus chuir claspa beag ar chúl a cinn. Agus ba é an rud deireanach a chuir sí uirthi ná seál galánta buíbhán a cheannaigh Siobhán di i mBaile Átha Cliath. D'amharc sí sa ghloine agus dúirt lena máthair: 'Caidé do bharúil, a mhamaí?'

'A thaisce, tá tú galánta ar fad!' arsa Bríd.

Shuigh Máirín taobh amuigh den teach ar chlaí na gcloch agus a croí ag ceol. Sa deireadh chonaic sí Niall ag teacht aníos ag teach Mhéabha agus léim sí ina seasamh agus rith ina araicis. Chaith sí a dá lámh thart ar a mhuineál agus rinne siad damhsa beag ar an bhealach mhór. Sheasaigh siad bomaite ag comhrá agus ansin shiúil an bheirt lámh ar lámh siar an cosán go barr na mbeann.

Tráthnóna galánta a bhí ann i lár an fhómhair, an ghrian ag soilsiú agus an Gleann beo le háilleacht. Thart orthu bhí ceol binn na n-éan, boladh an fhraoigh agus na mbláthanna fiáine. Bhí aiteannach ghlas na mbláth buí ar achan chlaí agus na seileáin gnoitheach ag cruinniú a gcuid meala. Bhainfeadh an radharc an t-anáil asat. Chaith an bheirt daofa a gcuid bróg agus rinne siad a mbealach go cúramach síos go Leac an Róin.

Bhí teas na gréine go fóill sa leac agus shuigh an bheirt óga síos agus tharraing Niall Máirín anall lena thaobh agus chuir sé a lámh thart uirthi. D'aithin Niall i ndiaidh tamaill go raibh Máirín rud beag suaimhneach agus nuair a cheistigh sé caidé a bhí uirthi, d'inis sí dó gur dhúirt a máthair nach mbeadh sí ag gabháil an bealach fada léi féin go Meiriceá agus thoisigh na deora. Thóg Niall a haghaidh agus phóg sé í.

'A Néill, a stór mo chroí, beidh mé caillte uaigneach gan tú. Fan anseo liom agus ná fág mé!'

Bhí brú mór ar Niall óna thuismitheoirí agus ó mhuintir Mheiriceá. Bhí a phasáiste díolta ag a chuid daoine muintreacha agus cha dtiocfadh leis dhul ar a thóin ann anois mar go raibh an margadh déanta. Cha raibh rogha aige agus caithfeadh sé a bheith ar an bhád sin go Meiriceá nó bheadh a theaghlach náirithe. Chomhairligh siad dó imeacht ón áit bhocht seo agus saol maith a bhaint amach dó féin, ach bhí an cumha céanna airsean agus cha raibh a chroí ag iarraidh a Mháirín féin a fhágáil.

Caidé an dóigh a dtiocfadh leis briseadh ar shiúl uaithi agus í a fhágáil anseo léi féin? Gheall sé achan rud di. Dúirt sé go mbeadh sé 'na bhaile gan mhoill agus nach mbeadh imeacht air níos mó ina dhiaidh sin, ach cha raibh sé ábalta ciall a chur inti. Shuigh an bheirt isteach ina chéile, a gcroíthe briste brúite, agus dá mbeadh ceart le fáil, ba chóir don bheirt a bheith dóchasach agus sásta leis an tsaol úr a bhí rompu. I ndiaidh tamall fada ag caint léi agus ag iarraidh uirthi éisteacht le réasún agus ciall a chur inti, cha raibh maith ann. Shuigh siad go ciúin ar feadh tamaill agus sa deireadh sheasaigh Niall suas agus tharraing Máirín aníos chuige. Ansin phóg sé a béal agus phóg sé na deora óna haghaidh agus phóg sé a muineál geal agus a méara. Thóg sé an seál beag galánta ón leac agus cheangail sé é go deas cúramach thart ar an bheirt acu.

'Anois, a thaisce,' ar seisean. 'Beidh muid le chéile go deo na ndeor agus cha bhíonn scaradh orainn.'

Tháinig aoibh bheag ar aghaidh Mháirín agus idir dheora móra agus snagarsaí, chuir sí a dá lámh thart ar a mhuineál agus phóg sí a bhéal.

A Dhónaill Óig, má théann tú thar farraige,
Tabhair mé féin leat is ná déan dearmad,
Is beidh agat féirín lá aonaigh is margaidh,
Is beidh iníon rí Gréige mar chéile leapa agat.

Ó gheall tú domhsa agus d'inis tú bréag domh,
Go mbeifeá romham ag cró na gcaorach,
Lig mé scairt ort agus dhá chéad béic,
Ach ní bhfuair mé romham ach na huain ag méileach.

7.

Snaidhm seirce

I dTÚS NA hOÍCHE I dTEACH AN BHAOILLIGH, CHUIR Fionnán, deartháir beag Néill, ceist cá raibh Niall. Dúirt a mháthair gur fhág sé an teach go luath tráthnóna le ham a chaitheamh le Máirín Bheag Phádraig, agus fágadh an scéal mar sin.

Níos moille, nuair a tháinig Bríd agus a fear céile, Pádraig Shéamuis, isteach chun tí acu, cuireadh ceist orthu an raibh an bheirt óga leo.

'Níl,' a dúirt Bríd. 'Shíl muid go raibh siad anseo libhse.'

Thoisigh achan duine ag amharc ar a chéile agus ceisteanna ina gcuid súl. Sin an uair a thoisigh an cuartú agus daoine ina rith anseo agus ansiúd. Chuaigh an scéal go gasta ó theach go teach, agus a scéal féin ag achan duine. Bhí sé dubh dorcha agus na tuismitheoirí bochta gan dóigh. Dúirt bean amháin go bhfaca sí iad ag siúl lámh ar lámh siar an cosán glas go dtí an droim, ach char chuir sí barraíocht suime anseo, mar bhí an faisean sin acu am a chaitheamh thiar ar an droim ag caint agus ag comhrá.

Le bánú an lae, chuaigh cuid den aos óg siar an cosán go dtí an droim agus ansin siar fríd an chaorán go barr na mbeann agus chuartaigh siad agus scairt siad, ach cha raibh fáil orthu agus tháinig siad 'na bhaile le croí trom truacánta.

Choinnigh siad ag cuartú agus ag ceistiú i rith an lae. Bhí

beirt fhear, Séarlaí Rua agus comharsanach dó, ina seasamh ar an bhealach mhór ag smaointiú agus ag meabhrú i ndiaidh an lá a chaitheamh ag cuartú. 'B'fhéidir,' arsa Séarlaí, 'gur éalaigh an bheirt go hAlbain, cionn is nach raibh cead acu a bheith le chéile?'

'Ach cinnte...' arsa a chomharsa, 'd'fhágfadh siad nóta de chineál inteacht!'

'Nach trua nach bhfuil Sábha anseo,' arsa Séarlaí Rua. 'Chuaigh sí isteach go dtí an t-oileán arú inné. Tá eolas domhain aici fá rudaí mar seo.'

Bhí an tráthnóna ag titim go gasta nuair a shiúil Dónall Mór amach an doras fá choinne a dhul go dtí an teach beag. Seanfhear a bhí i nDónall a raibh a dhroim cromtha leis agus a thug dá leaba blianta ó shin le galar na gcnámh. Sheasaigh sé ag an doras agus a bhata cam á choinneáil suas, gan air ach a chuid éadaigh leapa agus a dhá chois sáite istigh ina chuid bróg trom, agus d'amharc sé uaidh. Chuir sé suas a lámh os coinne a shúl agus é ag cur suim mhillteanach sna faoileoga a bhí ag eitilt agus ag screadaigh agus ag déanamh cruinniú mór le chéile amach agus isteach, síos agus suas, os cionn Leac an Róin. Chuir sé scairt ar an bheirt fhear a bhí ina seasamh ar an bhealach mhór agus dúirt leo a dhul siar go dtí an áit a raibh na faoileoga ag scairtí nó go raibh sé cinnte gur comhartha a bhí ann.

D'amharc an bheirt ar a chéile agus d'imigh siad ina rith siar an droim arís agus go luath maidin lá arna mhárach, le lagadh trá, fuarthas an bheirt ógánaigh ag bun Leac an Róin. Tháinig iascairí an bhaile agus a gcuid bád agus le chéile tharraing siad aníos iad le rópaí go dtí an barr. Chruinnigh an baile go barr na mbeann, nuair a chuala siad an scéal.

Nuair a chonaic Bríd Ní Bhriain an dá chorp ag teacht

aníos agus an bheirt fite fuaite lena chéile, chuir sí béic aisti a chluinfeá sna trí paróistí. Dúradh nach ard láidir a bhí an scairt, ach go raibh na céadta ceist inti agus go mbainfeadh a cuid caointe deora as na beanna. Thit sí síos ar an talamh agus a croí bocht briste.

Cha raibh máthair ná athair ar bharr na mbeann an lá sin nár chaoin deora. Tháinig Pádraig Shéamuis agus cúpla comharsanach agus thóg siad Bríd bhocht 'na bhaile.

Bhí Bríd Óg sé mhí in Albain nuair a fuair sí an teileagram óna hathair ag inse di fá bhás Mháirín agus Néill agus ag ráit léi a theacht 'na bhaile. Fuair sí scanradh millteanach agus nuair a tháinig Mánus 'na bhaile i ndiaidh a chuid oibre tráthnóna, b'éigean don bheirt cúpla bratach éadaigh a chaitheamh isteach i mála go gasta agus a dhul ar an aistear fhada 'na bhaile.

Bhí Siobhán agus Seán ansin rompu. Bhí a hathair ina shuí sa choirnéal agus gan focal as agus a máthair bhocht briste brúite sa leaba. Bhí na comharsanaigh ag déanamh achan rud, cuid acu ag déanamh tae do na sluaite a tháinig chuig an fhaire. Bhí tuilleadh ag amharc i ndiaidh na n-ainmhithe agus ag caitheamh gráinnín beag bídh ag an eallach. Cha dtiocfadh le Siobhán agus Bríd Óg an scéal a chreidbheáil ná tuigbheáil caidé a tharla. Bhí comharsanaigh istigh agus iad ag caint, iad uilig agus a dtuairim féin acu fá caidé a tharla. Dúirt cuid acu go gcaithfeadh sé gur tonna mór a sciob iad ón leac ach dúirt duine inteacht go raibh an fharraige ciúin an tráthnóna sin. 'B'fhéidir,' arsa duine eile, 'gur sleamhnú a rinne duine acu agus go dteachaidh an duine eile sa tharrtháil air.' 'Nó b'fhéidir,' arsa an tríú duine, 'gur éirigh sé rud beag dorcha agus gur chaill siad a gcos.'

Rinne achan duine iarraidh an scéal a réiteach. Ach bhí cuid eile nár chreid ceann ar bith de na scéalta sin, siocair an seál a bheith thart ar an bheirt go fóill nuair a fuarthas iad. Ach ba chuma caidé na focail a dearfaí, bhí an dá theaghlach bhochta gan dóigh.

'Mo dheirfiúr bheag bhocht, cha ndéan mo mháthair maith gan í, nó bhí a fhios ag achan duine fá bhaile an Ghleanna go raibh siad iontach mór le chéile.'

Rinneadh faire ar an dá chorp ina gcuid tithe féin agus chan fhaca daoine a leithéid de thórramh ariamh fán áit. Tháinig siad as achan chearn den pharóiste le meas agus le hómós a thaispeáint dá muintir agus dá gcomharsana.

I ndiaidh Aifreann an tórraimh, cuireadh an bheirt in uaigh bheag scoite sa reilig úr ag taobh an chnoic i measc an fhraoigh agus na bláthanna fiáine. Ar an taobh eile, bhí an Gleann agus na beanna le ceol na mara i gcónaí le cluinstin. Ceol aoibhinn na n-éan agus fuaimeanna galánta na ndaoine ag déanamh a ngnoithí fá na tithe agus fá na páirceanna. Agus bhí súil ag muintir an Ghleanna go mbeadh siad anois faoi bhratach Dé agus fá shuaimhneas.

Cha dtearn na daoine dearmad ariamh den uaigh bheag seo. Choinnigh siad deas glan í agus fágadh bláthanna uirthi go minic.

Bhí teaghlach Uí Bhriain briste brúite; Pádraig Shéamuis, an créatúr, ina shuí cois tine agus, leoga, gan mórán le ráit aige. Bhí Bríd sa leaba lag. Mheas sí anois go raibh Dia ag cur pionóis uirthi as an dóigh ar fhág sí Muiris an oíche fhuar fhliuch sin ina luí loite i gcúl sheanteach Neilí Pheigí le bás a fháil, nuair a ba chóir daoithe scéala a chur fá choinne duine inteacht, b'fhéidir an dochtúir nó na péas, ach b'uirthi féin amháin a bhí sí ag smaointiú. Bhí sí ag smaointiú caidé a déarfadh daoine, an raibh sí féin ciontach? Bhí eagla a báis uirthi.

Nuair a bhí an lá dubh uaigneach thart, d'inis Bríd Óg dá fear céile, Mánus, nach mbeadh sí ábalta a dhul leis go hAlbain mar go raibh sé ina dhualgas uirthi anois fanacht sa bhaile agus cuidiú a thabhairt dá máthair agus dá hathair ar feadh tamaill go n-éireodh siad láidir. D'fhág Mánus cúpla lá ina dhiaidh sin agus an créatúr lán de chumha agus d'uaigneas.

Bhí sé ráite, tamall ina dhiaidh sin, go raibh an bheirt óga a cailleadh le cluinstin ag comhrá corruair tráthnóna ciúin samhraidh thart fá bharr na mbeann. Chuala Maerí Phat iad agus í amuigh ag obair ar an phortach, an bheirt ag comhrá agus ag gáire. Bhí sé ráite ag daoine go raibh a gcuid anamnacha bochta caillte, agus d'iarr siad ar an tsagart an áit a bheannú.

Tráthnóna amháin bhí fear naofa, manach, ag gabháil thart ó theach go teach ag cruinniú airgid fá choinne na Misean. Nuair a d'inis Bríd Óg dó fán bhuaireamh mhór a bhí uirthi fán bheirt óga a cailleadh, dúirt an fear naofa go dtarlaíonn rudaí mar sin ó am go ham agus gan ligint dó buaireamh de chineál ar bith a chur uirthi, mar gur comhartha a bhí ann go raibh an bheirt óga slán sábháilte agus lán d'áthas.

An chéad Mháirt de fhómhair, ba brónach tuirseach mo scéal.
Lámh thapaigh a bhí cróga ag gabháil romham ar leaba na n-éag.
Ar Charraig na nDeor is dóiche gur chaill mé mo radharc;
Is go dté mé faoi fhód is ní thógfad m'aigne i do dhiaidh.

Mo mhallacht go buan fá bhruach an chladaigh seo thíos,
Is é d'fhág d'aicme faoi ghruaim is a rinne gual domh in aice mo chroí,
Is é do chur ins an uaigh, monuar, a d'fhág mise gan bhrí,
Gan mhisneach, gan stuaim, ach mo thruaill bhocht ag imeacht le gaoith.

8.

Gleann seo na ndeor

ÓN LÁ BRÓNACH DUBH SIN A THARRAING SIAD A n-iníon, Máirín, agus Niall Ó Baoill ón fharraige, cha dtearn Bríd Ní Bhriain maith. D'fhan sí sa leaba lena croí briste brúite agus í ag éirí meaite agus tanaí. Cha raibh inti ach na cnámha, agus an dá shúil a bhí rómhór ina cloigeann. Rinne daoine iontas do caidé a tharla don bhean ghalánta a phós Pádraig Shéamuis. Bhí Bríd Óg agus na comharsanaigh ag amharc ina diaidh chomh maith is a thiocfadh leo. Achan lá, thagadh Méidí Sheáin nó Maerí Bheag agus corruair an bheirt le chéile. Bheadh Bríd Óg caillte gan a gcuidiú. Tháinig an dochtúir nuair a cuireadh fána choinne, ach bhí a fhios aige nach raibh sí ag taispeáint comhartha de chineál ar bith a bheith ag bisiú.

Bhí Pádraig bocht gan dóigh fosta, agus é cosúil le fear a bhí ag siúl ina chodladh, ag déanamh a chuid oibre agus gan mórán mothaithe ann.

Bhí siad anois cúpla mí ag déanamh achan rud do Bhríd; an dochtúir agus an sagart amach is isteach agus corruair thiocfadh cuid de na comharsanaigh ar cuairt. Tháinig a dheartháir, Séarlaí Rua, agus a comharsa, Donncha Mháire, isteach go minic le comhrá beag a bheith acu le Pádraig.

D'fhan Siobhán sa Ghleann le lámh chuidithe a thabhairt do Bhríd Óg nuair a b'éigean do Sheán a dhul ar ais ag a chuid oibre go Baile Átha Cliath, ach i ndiaidh cúpla seachtain, d'inis

Siobhán dó nach raibh a máthair ag gabháil a dhéanamh maith agus gur mhaith léithe é a theacht ar ais. Tháinig Seán 'na bhaile agus bhí siad ansin le cuideachta agus sólás a thabhairt do Phádraig agus do Bhríd Óg. Bheadh na fir ina suí thart fán tine ag caitheamh a bpíopaí agus ag ól tae, iad ag caint ar an aimsir mhaith agus ag iarraidh croí Phádraig a thógáil.

'An bhfuil cuimhne agaibh cúpla bliain ó shin nuair a chuaigh caorán Dhonncha Mháire ar thine?' arsa Séarlaí Rua. 'Bhí an mhóin go fóill ar na bachtaí ... iad ina gcróigeáin mhóra agus í réidh le cur amach. B'éigean do na chomharsana a dhul siar le cannaí agus bucáidí agus iad ag cuartú uisce in achan pholl agus sruthán beag ag iarraidh an tine a chur as. Bhí sé mall sa tráthnóna agus an ghaoth lag éadrom ag teacht aniar ó choirnéal an chnoic agus ba é an buaireamh a bhí orthu ná dá n-éireodh an ghaoth go rachadh an tine ó bhachta go bachta agus go mbeadh móin an bhaile caillte. D'éirigh leo an tine a chur as sa deireadh, buíochas do Dhia.'

'Is é an rud a tharla an lá sin,' a dúirt Pádraig, 'nó d'imigh Maerí Bheag ar an bhus go Gort a' Choirce ar ghnoithe. Bhí Donncha thiar leis féin ag cróigeadh agus thart fá am lóin, chuir sé síos tine bheag fá choinne braon beag tae a dhéanamh. Ach, is cosúil go dtearn sé dearmad an tine a chur as. Tháinig sé 'na bhaile tráthnóna leis an bhó a bhlí sula dtiocfadh Maerí Bheag 'na bhaile. Bhí sé istigh sa bhóitheach ag amharc i ndiaidh na bó nuair a chuala sé scairt agus callán taobh amuigh. Jeaic John Óig a bhí ann, dearthair Mhaerí, agus é ag scairtí: "Tá an caorán ar thine! Tá an caorán ar thine!"'

'Bhal, bhí an t-ádh orthu,' arsa Séarlaí, 'nó tháinig an ghaoth láidir an oíche chéanna!'

Ceann de na laethanta sin, d'iarr Bríd ar a hiníon scéala a chur fá choinne an tsagairt.

'A mhamaí,' arsa Bríd Óg, 'an dtearn tú dearmad? Bhí an sagart anseo inné.'

Dhruid sí a súile ar feadh bomaite agus shíl Bríd Óg gur thit sí ina codladh arís.

'A Bhríd Óg, cuir scéala fá choinne an tsagairt,' ar sise agus a glór iontach lag.

D'aithin Bríd Óg go raibh a máthair ag éirí níos laige agus chuir sí uirthi a cóta agus d'imigh sí go gasta. Ar an bhealach fuair sí iasacht rothair óna comharsa agus nuair a tháinig sí go teach an tsagairt, cha raibh ansin roimpi ach bean an tí.

Dúirt sise go dteachaidh an sagart amach leathuair an chloig a thabhairt freastail ar dhuine tinn a bhí ina chónaí thíos ag bun an bhaile agus go raibh sí cinnte go mbeadh sé ar ais gan mhoill. Dúirt Bríd Óg léi a dh'iarraidh air a theacht go gasta nó go raibh a máthair ag éirí níos laige.

Tháinig an sagart sa deireadh agus chuaigh sé síos chun an tseomra chuig Bríd. Tharraing sé anall cathaoir: 'A Bhríd, an bhfuil tú i do chodladh?'

'Níl, a Athair,' ar sise. 'Bhí mé ag fanacht leat … tá faoiside agam. Caithfidh mé an méid seo a inse duit nó tá sé ag cur buaireamh mór orm.'

Dhruid sí a súile arís agus tháinig a hanáil go gasta.

'Níl deifre orm, a Bhríd,' arsa an sagart. 'Glac d'am anois agus inis domh go deas suaimhneach.'

Bhí a chasóg naofa thart fána mhuineál agus chrom sé a cheann síos ina dhá lámh.

Thoisigh Bríd a dh'inse fá lá an aonaigh agus achan rud a tharla di an lá dubh sin. B'éigean di stopadh agus a hanáil a tharraingt le scíste a ghlacadh thall agus abhus go dtí go raibh an scéal go hiomlán inste aici.

'A Bhríd, a thaisce,' arsa an sagart, 'nach millteanach ar fad an t-ualach trom a bhí ort a iompar le blianta.'

Bhí sí ciúin ar feadh tamall fada agus chonaic an sagart na deora ina rith anuas lena haghaidh.

'A athair,' ar sise, 'thug mé maithiúnas do Mhuiris fada an lá ó shin, cionn is gur gearradh síos é go luath. Cha raibh faill aige a dhul chuig faoiside agus maithiúnas a iarraidh ar Dhia as an drochíde a thug sé domhsa. Shíl mé nach mbeadh maithiúnas le fáil agam féin ach dá dtiocfadh leat Aifreann a chur le Muiris agus iarraidh ar Dhia nó ar an Mhaighdean Mhuire é a thógáil isteach sna flaithis, mar níl aon duine don teaghlach sin fágtha, agus beidh mo chroí ansin saor ó bhuaireamh.'

Dhruid sí a súile arís.

'Ná bíodh eagla ná buaireamh ort níos mó, a Bhríd,' arsa an sagart. 'Bhéarfaidh Dia maithiúnas duit mar nach raibh drochrud ar bith i do chroí nuair a tharla an drochghníomh agus gan neart ar bith agat air, agus fosta, beidh áit ag Dia sna flaithis duit.'

'A Athair, tá lúcháir mhór orm sin uilig a chluinstin, mar gur seo ualach trom a bhí á iompar agam i rith mo shaoil agus eagla orm nach fiú mé ... agus ag smaointiú go raibh m'anam caillte ... ach anois thig liom bás a fháil faoi shuaimhneas agus faoi bhrat Dé.'

'A Bhríd, a thaisce,' arsa an sagart, 'glac scíste beag anois, agus déanfaidh mise achan rud a d'iarr tú orm.'

Thug an sagart aspalóid di agus chuir sé an ola uirthi arís, agus i ndiaidh é urnaí bheag eile a ráit os a cionn, leag sé a lámh go ciúin ar a ceann agus d'fhág sé a bheannacht aici.

Shiúil sé amach as an tseomra agus é ag baint de a chasóg naofa. Bhí Bríd Óg, Siobhán, Pádraig, Seán, Séarlaí Rua agus cúpla duine de na comharsanaigh ag fanacht leis agus ceisteanna ina gcuid súl acu. Cha dtearn an sagart ach a rá: 'Coinnígí súil ghéar uirthi, tá sí iontach lag.'

Char mhair Bríd ach cúpla uair ina dhiaidh sin. Chuir siad scéala fá choinne Mhaerí Bheag agus Mhéidí Sheáin agus a cuid daoine muintreacha uilig agus bhí siad léi na bomaití deireanacha. D'fhág Bríd iad go ciúin. Lig sí dhá osna throma agus shíothlaigh sí.

'Go dtabharfaí Dia foscadh na bhflaitheas do mo Bhríd bheag bhocht,' arsa Pádraig Shéamuis. 'Caidé tá mé ag gabháil a dhéanamh gan thú?'

Shín sé é féin síos ag a taobh sa leaba agus chuir sé a cheann ar a brollach agus chaoin sé. Shiúil a raibh sa tseomra amach go ciúin.

9.

Méidí agus Maerí Bheag

BHÍ SÉ AG GABHÁIL SIAR SA TRÁTHNÓNA NUAIR A shiúil Méidí Sheáin agus a comharsa Maerí Bheag 'na bhaile i ndiaidh an tórraimh. Bhí an bheirt iontach uaigneach agus brónach ag smaointiú ar a gcara maith a d'fhág siad ina ndiaidh sa tseanreilig.

'A Mhéidí, shílfeá gur inné a shiúil an triúr againn síos 'na scoile agus fóid mhónadh faoinár n-ascallacha ... agus an bhfuil cuimhne agat an lá a ghoid muid cúpla fód as cruach mhuintir Phadaí John Óig agus rith sé amach ag scairtí is ag béicí inár ndiaidh? Dúirt sé go gcluinfeadh ár muintir an rógaireacht a bhí orainn ... ach nach orainn a bhí an t-ádh nár dhúirt sé focal.'

'A Dhia,' arsa Maerí Bheag, 'cá dteachaidh na blianta sin? Cá dteachaidh na scaiftí páistí agus cá dteachaidh an súgradh agus an spórt?'

'Sea,' arsa Méidí, 'is é an dóigh a bhfuil sé, a Mhaerí, nó creidim go bhfuil muid ag gabháil siar i mblianta. An dtiocfaidh tú isteach fá choinne cupa beag tae?'

'Tiocfaidh agus fáilte,' arsa Maerí Bheag. 'Tá Donncha thiar ar an droim ag cur amach mónadh agus tá a fhios agamsa go mbeidh an tine as, agus an teach fuar, nuair a théim 'na bhaile.'

Ach bhí tine bhreá thíos ag Seán, fear Mhéidí, agus an citeal dubh ag gail nuair a chuaigh na mná isteach. Chaith Maerí

Bheag a seál ar cheann de na cathaoireacha agus tharraing sí léi an crípí beag suas go dtí an tine.

'Buíochas do Dhia ar son na tine mar tá mé conáilte. Chuaigh an ghaoth sin isteach go dtí na cnámha ionam, a Mhéidí,' arsa Maerí agus í ag tarraingt suas a cuid éadaigh thar a glúine. Rinne Méidí pota mór tae agus shuigh an bheirt ansin ag caibidil fá seo agus siúd.

'Bríd bhocht,' arsa Maerí Bheag. 'Fuair sí a sáith buairimh agus briseadh croí. Nár ghoill cailleadh Mháirín go mór uirthi agus, leis an fhírinne a inse, nach bhfuair muid uilig buille millteanach an t-am?' ar sí ag tógáil suas coirnéal a naprúin agus ag triomú a súl.

'Fuair,' a dúirt Méidí. 'Cha raibh láidreacht ar bith inti. Bean chiúin dhílis nádúrtha a mbeadh pléisiúr ar dhuine a dhul isteach chun tí chuici a bhí inti. Cha raibh sí mar is ceart ón am sin a fliuchadh go craiceann í ag aonach Ghort a' Choirce.'

''Bhfuil a fhios agat,' arsa Méidí, 'beidh Pádraig bocht uaigneach go leor anois.'

'Beidh, ach caidé fá Bhríd Óg?'

'Chuala mise go bhfuil sí ag gabháil anonn arís go hAlbain gan mhoill.'

'B'fhéidir,' a dúirt Maerí Bheag, 'go bhfuil sí ag smaointiú ar Mhánus thall ansin leis féin agus gan duine ar bith le é a fháil amach a dh'obair ar maidin.'

'Ó, maise,' arsa Méidí. 'Nach trua liom é! A Mhaerí Bheag, caidé atá tú ag caint air? Nach bhfuil na céadta créatúr thall ansin agus gan duine ar bith le cupa tae a dhéanamh daofa maidin ná tráthnóna!'

'Á, tá an ceart agat! Ach nach bhfuil a fhios agat caidé chomh millte is a bhí an dá stócach sin ag a máthair? Rinne sí achan rud daofa, ach cha raibh an t-ádh céanna ar an chuid s'againne, mar b'éigean do mo Ghráinne agus mo Thomás bocht a dhul amach agus obair a chuartú i ndiaidh iad an scoil a fhágáil.'

'Ó, hobair go dtearn mé dearmad, a Mhaerí,' arsa Méidí. 'An bhfuil sé fíor go bhfuil Gráinne le leanbh eile?'

'Tá,' arsa Maerí Bheag. 'Agus a lámha lán cheana féin, agus gan cuidiú de chineál ar bith aici. Tá Conall thall in Albain, an créatúr, ag cur airgid 'na bhaile. Fear maith ionraice dílis, ach dá mbeadh ceart le fáil, sa bhaile a bheadh sé, ag tabhairt lámh chúnta do Ghráinne. Tá na seandaoine anois ag gabháil siar i mblianta agus níl siad ábalta cuidiú ar bith a thabhairt di. An bhfuil a fhios agat, a Mhéidí, tá am crua uaigneach ag mná óga atá sa bhaile leo féin ag tógáil a dteaghlach. Bheir mé féin agus Donncha cuidiú beag di thall is abhus, ach idir eallach, éanlaith agus páistí, tá sí ag gabháil ó mhaidin go dubhoíche.'

'Ar chuala tú,' arsa Méidí, 'go bhfuil Conchúr hAnraí sa bhaile i ndiaidh cúig bliana a chaitheamh ag obair i Sasain? Agus gan peann a chur le páipéar aige i rith an ama sin … agus chuala mé iad ag caint go bhfuil na céadta punta sábháilte aige agus go bhfuil sé le teach úr a thógáil thiar ar an droim.'

Dhruid Maerí Bheag a béal go crua agus tháinig cuma ghoirgeach uirthi: 'Ná labhair liomsa fán fhear sin … agus an t-amadán ceart a rinne sé de mo Ghráinne bhocht, í sa bhaile anseo ag fanacht le líne de litir. Nach é Dia a chuir Conall Mháire Mhicí ina cosán an tráthnóna sin ag an damhsa!'

'Cá háit a mbeadh sí inniu gan Conall agus a dteaghlach beag galánta?'

'Inseoidh mise duit, a Mhéidí, ina suí thart fán luaith ag gabháil siar i mblianta agus í fágtha fuar foladh léi féin!'

Sin nuair a d'fhoscail Seán, fear céile Mhéidí, an leathdhoras agus ar seisean: 'Níl mórán le déanamh ag cuid agaibh … in bhur suí thart fán ghríosaí ag ól tae agus ag caibidil!'

'A Dhia inniu, amharc an t-am atá sé,' arsa Maerí Bheag. 'Beidh Donncha amuigh á mo chuartú.'

Léim sí den chrípí agus thóg a seál ó chúl na cathaoireach agus í ag fágáil an bhabhla ar an tábla.

'A Mhaerí, an bhfuil tú ar shiúl mar sin?' arsa Méidí.

'Tá,' ar sise agus í ag gabháil amach an doras.

'A Dhia, a Sheáin,' arsa Méidí, nuair a bhí sí ar shiúl síos an cabhsa. 'Maerí Bheag bhocht. D'imigh sí chomh gasta sin go sílfeadh duine gur madadh a bhain greim aisti.'

'Á, d'fhéadfadh sí náire a bheith uirthi féin,' arsa Seán. 'Ina suí ansin agus cos ar achan taobh den tine aici, agus a cuid éadaigh tarraingthe suas thar a glúine go dtí a tóin. Chan iontas ar bith go bhfuil línte dóite isteach ina cuid loirgneacha mar bheadh A B C ann!'

'A Sheáin, a chroí,' arsa Méidí. 'Caidé atá ort? Char chuala mé ariamh tú ag caint go géar sin fá dhuine ar bith. Maerí Bheag bhocht; níl dochar de chineál ar bith inti, ach croí mór maith fá choinne achan duine. Suigh anseo agus gheobhaidh mé braon tae duit.'

Shuigh Seán síos go trom sa chathaoir agus lig sé osna.

Thug Méidí anall babhla mór tae chuige agus shuigh sí síos ag a thaobh.

'Anois,' ar sise. 'Caidé tá contráilte leat?'

Char dhúirt Seán focal ar feadh tamaill, an babhla ina lámha aige agus é ag amharc isteach sa tine. Ansin d'amharc sé suas ar a bhean agus arsa seisean: 'A Mhéidí, tá muid i ndiaidh an bó bhuí a chailleadh!'

Fuair Méidí scanradh mór agus chuir sí a lámh lena brollach. 'Ó, a Dhia … caidé a tháinig uirthi?'

'Caithfidh sé gur an t-uisce dearg a thug í,' a dúirt Seán.

'Caidé faoi Dhia sin?'

'Thug mé faoi deara nach raibh sí i gceart le cúpla lá agus bhí a huisce dearg. Cá bith rud atá ann, théid sé san fhuil iontu agus uaidh sin go dtí an t-ae. Fuair sí bás in am gairid.'

'Ó, a Dhia inniu!' arsa Méidí.

Shuigh an bheirt ansin ag amharc isteach sa tine ar feadh tamall fada agus croí trom acu. Sa deireadh chuir Méidí ceist ar Sheán cá háit a raibh an bhó.

'Tá sí ina luí thiar ag claí na haiteannaí sa pháirc gharbh,' ar seisean.

D'éirigh Méidí agus chaith sí seál fána gualainn agus siar léi go dtí an pháirc.

Chonaic sí an toirt ina luí siar uaithi ag an chlaí. Nuair a tháinig sí go dtí a taobh, chaith sí í féin síos ar a glúine agus chuimil sí a ceann.

'Tá tú ag gabháil a bheith cronaithe go mór, mo bhó bheag bhuí, agus níl a fhios agam caidé a dhéanfaidh muid gan tú,' arsa sise agus deora léi. D'éirigh sí ina seasamh i ndiaidh tamaill agus shiúil go suaimhneach aniar 'na bhaile.

Fuair sí Seán san áit chéanna ag amharc isteach sa tine ar na bladhairí. Shuigh sí síos lena thaobh agus í ag smaointiú go crua agus chuir sí a lámh thart air.

Bhí a fhios aici san am i láthair nach raibh dóigh ar bith a dtiocfadh leo bó eile a cheannacht.

'A Sheáin,' a dúirt sí, 'tá sé ag éirí mall sa bhliain, ach dá bhfaigheadh muid cúpla seachtain d'aimsir mhaith b'fhéidir go mbeadh lód eile mónadh bainte agus sábháilte againn roimh an gheimhridh.'

Choinnigh Seán ag amharc isteach sa tine ar feadh tamaill agus ansin dúirt: 'Tá an ceart agat, a Mhéidí. Cuirfidh mé ceist ar Dhonncha amárach an dtabharfaidh sé lá bainte mónadh domh. Díolfaidh muid na cúpla lód mónadh atá sábháilte againn agus le cuidiú Dé, ceannóidh sin bó eile dúinn ag an chéad aonach eile i nGort a' Choirce.'

'Bhal,' arsa Méidí, 'anois an t-am le ceist a chuir ar Dhonncha, mar tá sé thiar ar an droim ag cur amach mónadh.'

D'éirigh Seán agus chuir air a chóta trom agus ar seisean: 'Bhéarfaidh mé cúpla uair dó anois. Tá an tráthnóna fada agus cuirfidh mé ceist air an mbeidh sé ábalta lá a thabhairt domh nuair a bheas na bachtaí glanta agam féin.'

'Maith an fear,' arsa Méidí. 'Agus leoga tá mé cinnte go dtabharfaidh sé lámh duit an bhó bhuí a chur fosta.'

10.

Gráinne

NUAIR A CHUALA GRÁINNE FÁ CHONCHÚR hANRAÍ, d'éirigh sí iontach confach. 'B'fhearr dó gan a aghaidh a thaispeáint taobh istigh den doras seo ... nó gheobhaidh sé an scuab sa droim!'

Diní Bhidí a bhí ag caint léi agus é ar an bhealach ón tsiopa. 'Cinnte, níl an fear bocht chomh holc sin,' arsa Diní.

'Bhal, b'fhéidir nár chuala tusa an t-amadán ceart a rinne sé domhsa. Char chuir sé líne de litir chugam ón lá a d'fhág sé an baile!'

'A Dhia inniu, nár chuir?' arsa Diní. 'An bhfuil fhios agat caidé a chuala mise? Nach raibh sé ábalta a ainm a scríobh!'

'Maise, maise inniu!' ar sise. 'Nach sin leithscéal ceart!'

Lean Diní air 'na bhaile agus shuigh Gráinne síos tamall ag smaointiú ar Chonchúr agus an chraic bhreá a ba ghnách leo bheith acu na blianta sin sular imigh sé. Gheall sé an ghrian agus an ghealach di agus bhí a croí istigh ann.

'D'inis mé bréag duit nuair a dúirt mé nár scríobh sé chugam, a Diní,' a d'admhaigh sí di féin. Sheasaigh sí ar chathaoir agus chuir a lámh isteach i gcúl phictiúr na Maighdine Muire. Tharraing sí amach litir a bhí anois buí dubh le toit agus dusta.

'Cha raibh sé ach cúpla mí thall, nuair a fuair mé an dá líne seo uaidh ag cur ceiste caidé mar a bhí mé agus ag déanamh amach go raibh sé féin ag déanamh go maith,' a smaointigh sí.

Sin uilig ar chuala sí fá dtaobh de, go dtí an tseachtain seo caite, nuair a sheol sé isteach 'na Ghleanna i ndiaidh di a bheith ag fanacht leis ar feadh na mblianta. Ach sa deireadh, bhris sé a croí.

Bliain roimhe sin a bhuail sí suas le Conall Mháire Mhicí. Chaitheadh Conall sé mhí ag obair in Albain achan bhliain agus ansin thagadh sé 'na bhaile le hamharc i ndiaidh an bhairr agus leis an mhóin a shábháil. Nuair a bhí obair an bhaile déanta aige, bhí sé ar shiúl arís thar sáile. Bhí cónaí air thíos ag bun an bhaile. Teaghlach galánta múinte a bhí i muintir Mháire Mhicí agus stócach amháin a bhí acu. Is minic a chuala Gráinne go raibh a shúil aige uirthi, ach bhí a fhios ag an bhaile go raibh sí i ngrá le Conchúr hAnraí agus í ag fanacht leis pilleadh.

Oíche amháin, thiar ag damhsa i nGort a' Choirce, nuair a ba ghnách le scaifte mór as an Ghleann a ghabháil siar ar an bhus bheag achan Domhnach, bhí Gráinne agus cúpla bean eile ina seasamh ag comhrá i gcoirnéal an halla, nuair a shiúil Conall anall agus d'iarr sé amach a dhamhsa í. Chuaigh sí amach leis ar an urlár. Chuir sé ceist ansin uirthi an rachadh sí amach fá choinne siúl beag. 'Níl mórán maith ionamsa ag damhsa,' ar seisean.

Dúirt Gráinne go rachadh cinnte, mar bhí meas mór aici ar Chonall i gcónaí. Shiúil siad síos go dtí an seanteach a bhí in aice an halla agus tharraing Conall amach toitín agus chuir ceist uirthi an raibh sí ag caitheamh agus ar mhaith léi ceann. Thug sí buíochas dó agus dúirt nach raibh.

Bhí siad ag caint leo fá seo agus siúd agus d'aithin sí go raibh rud inteacht ag cur buairimh air. Sa deireadh sheasaigh sé os a comhair agus dúirt: 'An bpósfaidh tú mé, a Ghráinne?'

'A Dhia inniu, a Chonaill, tháinig sin iontach tobann!' arsa

Gráinne agus thoisigh sí a gháire. Ach bhí Conall ina sheasamh agus a ghualainn leis an bhalla ag déanamh staidéar géar ar a chuid bróg dubh Domhnaigh; cuma fhaiteach air agus eagla air amharc suas.

Cha raibh sí í ngrá leis, ach bhí a fhios ag Gráinne i gcónaí gur fear dílis múinte a bhí ann agus bhí meas mór aici air. Bhí sí tinn tuirseach ag fanacht le Conchúr hAnraí. D'amharc sí suas ar Chonall, agus chuir sí a dá lámh suas lena aghaidh agus thug sí póg mhór mhilis dó, agus dúirt: 'Pósfaidh mé thú, a Chonaill.'

'Caidé a dúirt tú, a Ghráinne?' arsa Conall agus iontas air. Bhal, thug sé trí léim agus rinne sé damhsa beag os a comhair, agus aoibh air siar go dtí an dá chluais.

'A Dhia, a Ghráinne,' ar seisean, 'is fada an lá mé ag smaointiú ar an bhomaite seo ach cha raibh uchtach agam mo bhéal a fhoscladh. Níl aon fhear sna trí paróistí chomh sásta liomsa anocht!'

Pósadh iad thiar ag teach pobail Chnoc Fola gan mhoill ina dhiaidh sin.

Bhí Gráinne ag gáire léi féin agus í ag smaointiú siar ar an am sin. Cha dteachaidh Conall síos ar a leathghlúin agus char tharraing sé amach fáinne ná duais de chineál ar bith. Ach, bhí a fhios aici ina croí go dtabharfadh sé an leathphingin dheireanach a bhí ina phóca di. Nach uirthi a bhí an t-ádh an oíche sin i nGort a' Choirce, a smaointigh sí.

Tá mo chleamhnas á dhéanamh inniu agus inné
Is ní mó ná go dtaitníonn an bhean udaí liom féin,
Ach fúigfidh mé i mo dhiaidh í is rachaidh mé leat féin
Fá bhruach na coille craobhaigh.

11.

Carr dubh

CÚPLA SEACHTAIN I nDIAIDH DI A BHEITH AG CAINT le Diní Bhidí, bhí Gráinne thíos sa tsiopa nuair a stop carr mór dubh taobh amuigh agus cé a rith isteach ach Conchúr hAnraí. Bhí sé ag amharc níos fearr ná bhí ariamh, brístí galánta gorm agus léine dheas gheal air a bhí foscailte ag an mhuineál.

'Bhal, a Ghráinne,' ar seisean. 'Nach tú atá ag amharc go maith!'

Smaointigh Gráinne ar na seanbhróga agus ar an tseanchóta mhór a bhí uirthi agus cha raibh a fhios aici caidé a ba cheart di a dhéanamh ... a béal a choinneáil druidte, nó an mála a thabhairt sa smut dó.

Cha raibh sí ag gabháil a dhéanamh amadáin di féin anseo sa tsiopa agus cúpla duine ina seasamh ag an chuntar.

'Go raibh maith agat, a Chonchúir,' ar sise.

Ansin shiúil seisean anall agus dúirt: 'Caidé mar tá Conall agus na páistí?'

'Bhal, tá Conall bocht cosúil leis na fir bhochta uilig thart anseo, tá sé thall in Albain ag obair,' arsa Gráinne.

'Tá mé ag gabháil suas an bealach mór,' ar seisean, ag amharc ar na málaí. 'Bhéarfaidh mé suas tú.'

'Go raibh maith agat,' ar sise, 'ach níl mé ag gabháil suas go ceann tamaill, mar tá cúpla gar eile le déanamh agam go fóill.'

'Bhal, maith go leor. Tchífidh mé thú, a Ghráinne.' Agus shiúil sé amach go dtí a charr.

Ins an bhliain ina dhiaidh sin, thóg Conchúr teach galánta thiar ar an droim ag amharc aniar ar theach Ghráinne agus Chonaill. Bhí sé ráite ag cuid de na comharsanaigh go raibh sé ag foscladh na seanchréachta agus á tumadh sa tsalann, ach ar chaoi ar bith, cha raibh aon teach eile sa chomharsanacht cosúil leis. Fuair sé fuinneoga agus doirse isteach as Leitir Ceanainn as ceann de na siopaí móra agus bhí achan rud níos deise ná a chéile aige; cuirtíní troma agus leapacha galánta — bhí na scéalta seo ag gabháil thart fríd an bhaile. Dúirt daoine fosta go raibh sé ag caitheamh cuid mhór ama thall ag teach Mhic Géidigh agus go raibh sé féin agus Síle Óg iontach mór le chéile. Bhí a fhios ag an bhaile go dtearn Conchúr cuid mhór airgid nuair a bhí sé i Sasain.

Is iomaí uair ó shin a smaointigh Conchúr go dtabharfadh sé achan phingin a chruinnigh sé na blianta sin a chaith sé ag obair i Sasain leis an am a chur siar agus é a bheith pósta ar Gháinne, ach sin rún a choinnigh sé aige féin. Chaithfeadh sé an brón agus an buaireamh a fhuilstin anois ag amharc ar Ghráinne pósta ar fhear eile agus ag éisteacht lena cuid páistí beaga galánta ag súgradh thart fá na cuibhrinn achan lá.

I ndiaidh tamaill, d'imigh Conchúr hAnraí ar ais go Londain agus cha dtáinig sé 'na bhaile ach corrsheachtain ar saoire. D'iarr sé lámh Shíle Nic Géidigh agus dhiúltaigh sí a chuireadh a dhul leis go Londain.

Tamall ina dhiaidh sin, bhuail Conchúr suas le bean as Mín Lárach a bhí ag obair mar bhanaltra i Londain agus pósadh iad. Cha raibh teaghlach ar bith acu mar go raibh sise meánaosta fán am seo. Cheannaigh siad teach galánta taobh amuigh de Londain. Ba ghnách leo a theacht 'na bhaile fá choinne saoire beag thall is abhus go dtí an Gleann.

Cuid IV

1.

An Máistir Scoile

CHUAIGH NA BLIANTA THART ACH CHA RAIBH AN
Gleann ariamh mar an gcéanna ó cailleadh Bríd bhocht. Bhí
Máirín Bheag cronaithe go millteanach agus an pléisiúr agus
an grá a thug sí ó tháinig sí ar an tsaol anois caillte go deo.
D'éirigh Pádraig ciúin ina chuid dóigheanna ina sheanaois
agus is go mall a chuaigh sé i gceann a chuid oibre. D'fhan
Bríd Óg sa bhaile ag tabhairt aire dá hathair, a fhad is a bhí
Mánus sásta a bheith leis féin san am i láthair ag saothrú leis
in Albain. Bhí Siobhán agus a fear céile, Seán, go fóill i mBaile
Átha Cliath. Choinnigh an teaghlach orthu chomh maith agus
a thiocfadh leo agus dúil acu in achan dea-scéal a tháinig a
mbealach.

Tháinig athrú mór ar an bhaile uilig leis na blianta sin agus
bhí carranna go leor anois le feiceáil siar agus aniar an bealach
mór. An áit a raibh meithleacha fear blianta roimhe sin ag
obair sna cuibhrinn, inniu bhí tarracóirí le feiceáil thall agus
abhus. Bhí muintir an ghleanna ariamh dílis agus cairdiúil agus
chuidigh siad le chéile i gcónaí agus bhí siad ina gcomharsana
maithe ag clann Uí Bhriain.

Fuair athair agus máthair Shíle agus Pheadair bás taobh
istigh d'am gairid dá chéile. Char luaithe Peadar ar ais in Albáin
i ndiaidh a athair a chur nó go bhfuair sé an scairt ar ais mar
go raibh a mháthair iontach tinn. Slaghdán trom a bhuail í

agus a chuaigh go dtí na scamháin aici. Bhí sí i bpian mhór agus d'fhág an dochtúir taibléidí ag Síle le tabhairt di achan uair. Nuair a phill Peadar, bhí a mháthair i mbéal an bháis. Bhí faill aige slán a ráit léi agus cuireadh fá choinne an tsagairt. Mhair sí an oíche agus fuair sí bás go luath maidin lá arna mhárach le Síle agus Peadar ag a taobh. Chuir sé brón mór ar Pheadar bocht. Cuireadh a mháthair thuas sa tseanreilig ag taobh a fir chéile. Agus anois, bhí an bheirt óga fágtha leo féin.

Nuair a d'imigh Peadar ar ais go hAlbain, bhí Síle fágtha agus í uaigneach go leor. Cailín suaimhneach galánta a bhí inti agus bhí go leor fear óg fán áit a bhí ag dréim lena lámh agus cuid acu leoga ag briseadh a gcos ina diaidh. Chuir Peadar cuireadh uirthi a dhul anonn go hAlbain ar saoire fá choinne cúpla seachtain agus, dá mbeadh dúil aici san áit, fanacht agus obair a fháil agus go gcoinneodh siad cuideachta le chéile. Bhí Síle iontach leagtha ar a deartháir, thug sí buíochas mór dó ach dúirt go m'fhéidir amach anseo nuair a thiocfadh an samhradh go dtabharfadh sí cuairt bheag air fá choinne saoire, ach san am i láthair gurbh fhearr léi fanacht sa bhaile.

Cúpla mí ina dhiaidh sin, bhí Síle ar an bhealach 'na bhaile i ndiaidh a bheith sa tsiopa, nuair a stop carr galánta gorm lena taobh agus chuir fear óg a cheann amach ag cuartú theach an mháistir.

'Tá tú ar an bhealach cheart,' arsa Síle. 'Tá sé suite thuas ar an taobh eile den mhalaidh.'

'Is mise an máistir úr, Diarmuid Ó Dónaill, as an Bhun Bheag,' ar seisean agus é ag cur amach a lámh.

'Síle Nic Géidigh,' ar sise. 'Tá fáilte romhat!'

'Tá cuma iontach trom ar na málaí sin, ar mhaith leat cuidiú?'

Smaointigh Síle bomaite agus ansin dúirt: 'Maith go leor,

a Dhiarmuid, beidh mé ábalta teach an mháistir a thaispeáint duit.'

Tháinig Diarmuid amach agus thóg sé isteach na málaí agus d'iarr ar Shíle suí isteach i dtoiseacht an chairr.

Nuair a tháinig siad go teach an mháistir, stop sé an carr bomaite ag amharc isteach, agus ar seisean: 'Tá sé cosúil le teach a bhfuil cuid mhór oibre le déanamh air. Caithfidh mé na crainn sin a ghearradh siar agus taobh amuigh den teach a phéinteáil. Agus go bhfóire Dia orm, níl a fhios caidé atá romham taobh istigh!'

'Bhal,' arsa Síle, 'níl sé druidte suas ach le dhá bhliain. Cha ndéarfainn go bhfuil sé chomh holc sin. Siúlfaidh mise liom suas anois, tá mé i mo chónaí thuas ag barr an bhealaigh.'

'Fágfaidh mé thuas sa bhaile thú, a Shíle.' Agus thiomáin sé leis go dtí a teach agus chuidigh sé léi na málaí a thabhairt isteach go dtí an doras.

'B'fhéidir, nuair a tháinig tú an fad seo, go dtiocfá isteach agus cupa tae a ól?'

'Tá cupa láidir de dhíobháil orm, sula bhfosclaím doras an tí thíos,' ar seisean agus thoisigh an bheirt a gháire.

Bhí Síle ag smaointiú léi féin agus í ag amharc ar Dhiarmuid: Nach breá an fear é! Agus déarfainn, ar an aois chéanna liom féin.

'A Dhiarmuid,' ar sise, 'má tá cuidiú ar bith de dhíobháil ort, tá mé anseo agus níl agat ach an cheist a chur.'

'Go raibh míle maith agat, a Shíle, fá choinne an tae agus an comhrá, agus b'fhéidir go bhfeicfeá mé níos luaithe ná mar a shílfeá! Ádh mór ort go fóill!' Agus bhí sé ar shiúl.

Thug Diarmuid Ó Dónaill cuairt ar theach Shíle go minic ina dhiaidh sin, agus bhí an bheirt ag teacht ar aghaidh i gceart.

2.

Is caol sruth an áidh

BA GHNÁCH LE SIOBHÁN AGUS A FEAR CÉILE, SEÁN, cuairt a thabhairt 'na bhaile go Dún na nGall agus an Gleann go minic. Bhíodh lúcháir mhór i gcónaí ar Phádraig Shéamuis agus ar Bhríd Óg iad a fheiceáil. Tháinig siad ag deireadh an tsamhraidh an bhliain seo, nuair a bhí saoire ag Seán. Bhí Siobhán iontach sásta leis an jab mhór a bhí ag a fear céile i mBaile Átha Cliath. Bhí sé anois ina bhríceadóir agus pá maith á shaothrú aige agus chuala siad go raibh an obair le dhul ar aghaidh go ceann cúpla bliain eile. D'inis an bheirt do Phádraig go raibh dornán airgid curtha i dtaisce acu agus go raibh sé ar intinn acu teach úr a thógáil dá mbeadh suíomh deas acu.

'Tá an pháirc gharbh ansin taobh thiar den teach agus fáilte romhaibh teach a thógáil ann am ar bith,' arsa Pádraig.

Bhí lúcháir mhór ar Shiobhán agus ar Sheán. 'Le cuidiú Dé,' arsa Seán, 'beidh muid uilig ag teacht 'na bhaile nuair a bheas an jab mór seo críochnaithe. Beidh mé ábalta cuidiú a thabhairt duit féin agus do m'athair thart fán fheirm, agus beidh sibhse ábalta scíste a fháil atá tuilte agaibh le fada ... agus scéal maith eile ... ní raibh muid cinnte ar chóir dúinn é a ráit go fóill, ach ... tá Siobhán le leanbh ... agus is é an rud atá inár gcroíthe go mór ná na páistí a bheith ábalta a dhul 'na scoile sa Ghleann agus fás aníos anseo cosúil linn féin, a bheith saor le rith fríd na cuibhrinn ag déanamh súgraidh agus spóirt.'

Thóg an píosa úr nuachta seo croí Phádraig agus bhí an t-athrú le feiceáil ann agus é ag obair fá na cuibhrinn.

Ach, níor mhair an sonas i bhfad. Seachtain ina dhiaidh sin, fuair Bríd Óg drochscéala i dteileagram as Albain ag inse di fá thimpiste mhór a tharla ag an áit a raibh a fear céile ag obair. Bhí siad iontach buartha, dúirt siad, an drochscéala seo a chur chuici go tobann, ach go raibh Mánus Ó Cuireáin caillte.

Is beag nár thit Bríd Óg bhocht i laige leis an scanradh. Shuigh sí síos ar an stól go trom agus shín an teileagram anonn chuig Siobhán. Nuair a léigh Siobhán é, cha dtiocfadh léi an scéal a creidbheáil.

'A Dhia, a thaisce,' a dúirt sí, ag rith anonn chuig Bríd Óg agus ag cur a dá lámh thart uirthi. Thoisigh an bheirt a chaoineadh.

Bhí Seán thall sa bhaile agus rith Siobhán anonn agus thug an drochscéal dó. Thug an scéal seo scanradh mór do Sheán bocht, ag smaointiú ar an deartháir amháin a bhí aige anois caillte. Tháinig an bheirt anall chuig Bríd Óg.

'A Bhríd Óg, a thaisce,' a dúirt Seán, 'seo buille millteanach don dá theaghlach.' Sheasaigh sé bomaite ag smaointiú. 'Beidh orainn a dhul anonn chomh luath is a thig linn. Tá cuid mhór le déanamh réidh don turas. Caithfidh mé an drochscéal a inse do mo mháthair agus do m'athair bocht agus cha bhíonn sin furast.'

D'imigh Seán amach go gasta agus tamall beag ina dhiaidh sin, shiúil Pádraig Shéamuis isteach as na cuibhrinn agus fuair sé a bheirt iníonacha ag caoineadh. Shuigh sé ag taobh an tábla. Sa deireadh, labhair Siobhán: 'A dhaidí, tá Mánus bocht caillte in Albain.' Agus shín sí anonn an teileagram chuige.

'Órú, a Mhuire!' arsa Pádraig bocht. 'Nach ag an teaghlach seo atá an chrois throm le hiompar!' Agus d'imigh sé amach an doras arís go cúl an tí, áit a mbeadh suaimhneas aige.

Chuir Seán scairt ar an fón anonn go hAlbain chuig an áit ar tharla an timpiste agus bhí siad ábalta an scéal go hiomlán a inse dó. An maor oibre, an fear a bhí os a gcionn, tháinig sé ar an ghuthán agus seo mar a d'inis sé an scéal do Sheán:

'Bhí na fir ag obair leo mar ba ghnách, seisear fear le chéile i ngrúpa, nuair a chuala siad ar tús cúpla cloch ag titim, ach ansin thoisigh an tormán agus tháinig cnoc mór na gcloch anuas ina mullach. Tharla achan rud chomh gasta sin agus nach raibh faill ag cuid acu bogadh. Cailleadh na fir a bhí ag obair istigh in aice an chnoic. Tharla sé go tobann agus char fhulaing siad. Na hoibrithe a bhí amuigh ar an imeall, d'éirigh leo teitheadh siar, ach beireadh ar bheirt acu agus loiteadh go holc iadsan. Cailleadh triúr, agus bhí Mánus ar fhear acu sin.'

Rinne Bríd Óg agus Seán réidh go gasta le dhul anonn leis an chorp a aistriú 'na bhaile. Rinne muintir an chomhlachta iarnróid achan rud fána gcoinne chomh luath is a tháinig siad ón bhád in Albain. Bhí carr mór le hiad a thabhairt go teach an bháis ina raibh corp Mhánuis sínte amach, mar bhí orthu é a aithne. Níl feidhm a inse, an briseadh croí a bhí rompu, nuair a chonaic siad Mánus bocht briste brúite. Bhí an bheirt chomh holc le chéile. Tháinig a gcuid daoine muintreacha, Cit agus Bearnaí, a bhí chomh cairdiúil leo, agus Tomás Pheigí a fuair an obair dó ar tús agus thug siad uilig cuidiú agus tacaíocht mhór don teaghlach. Is leor a ráit go dtug siad an corp 'na bhaile faoi bhrón agus gur cuireadh é i reilig úr Chnoc Fola.

Tá na deora seo déanamh ródaí ar achan taobh de mo ghruaidh,
Tráthnóna Dé Domhnaigh is ar maidin Dé Luain,
Nuair a smaointím ar an té údaí a bhí againn inniu nó inné,
Is go bhfuil mo sweetheart i bhfad ó bhaile is gur fhág sé mise liom féin.

3.

An ceol ba bhinne

BHÍ CROÍ PHÁDRAIG BRISTE BRÚITE AS AN MHÉID A
tharla. Ar tús, chaill sé a iníon bheag, Máirín, agus gan mhoill
ina dhiaidh sin a bhean chéile, Bríd. Ghoill sé go mór air agus
ghlac sé tamall fada dó éirí láidir, ach lá i ndiaidh lae, rinne sé
a dhícheall éirí as faoi na scamaill dhorcha a fágadh os a gcionn.
Cha raibh sé ag gabháil a dhéanamh dearmad a choíche don
bheirt dhílse a d'fhág iad. De réir a chéile, thoisigh biseach
beag a theacht air. Bhí sé ábalta siúl amach agus comhrá beag
a bheith aige lena chuid comharsanach; d'fhéadfá a ráit gur
thoisigh an ghrian a shoilsiú arís agus go raibh a uchtach ag
bisiú. Ach, nuair a shiúil sé isteach an lá sin, agus chonaic na
girseachaí ag caoineadh ag an tábla, tháinig an phian ar ais ina
chorp. Cha dtiocfadh leis creidbheáil, nuair a chuala sé fá
Mhánus bocht, nach raibh deireadh leis an drochádh a bhí ag
teacht ina mullach, i ndiaidh an méid a d'fhulaing siad go dtí
seo, agus shiúil sé amach an doras.

Bhí achan duine chomh gnoitheach ag cuidiú leis an bheirt
a bhí ag déanamh réidh le dhul go hAlbain go dtearn siad
dearmad glan do Phádraig bocht. Chuir duine inteacht ceist
cá háit a raibh sé, agus chuaigh siad a chuartú. Fuair siad é ina
luí ar shopóg cocháin sa scioból. Bhí a chuid caointe déanta
faraor. Cha raibh a dhath eile ina chroí bocht le tabhairt. Thug
siad isteach chun tí é is char dhúirt sé focal. Bhí cuma chiúin

go leor air. Thug Siobhán cupa tae dó agus d'ól sé é, ansin d'iarr sé cuidiú a dhul isteach sa leaba.

D'fhan Siobhán agus Seán cúpla seachtain sa bhaile le cuideachta a choinneáil le Bríd Óg, ach bhí orthu pilleadh ar ais go Baile Átha Cliath i ndiaidh seachtaine. Gheall Seán do Bhríd Óg go mbeadh sé ar ais chomh luath is a thiocfadh leis le lámh chuidithe a thabhairt do Phádraig agus dá hathair an mhóin a shábháil.

'Gheobhaidh muid meitheal breá le chéile,' arsa seisean, ag iarraidh an spiorad a thógáil, 'agus bhéarfaidh muid 'na bhaile uilig í in am mhaith roimh an gheimhreadh!'

Cúpla mí ina dhiaidh sin, bhí Seán ar ais agus idir iad féin, Séarlaí Rua agus cúpla duine eile de na comharsanaigh, thug siad an mhóin 'na bhaile. Bhí Bríd Óg chomh buíoch daofa uilig.

Nuair a bhí cruinniú de na comharsanaigh ag an teach, bhí siad ag déanamh comhbhróin le Bríd Óg agus le Seán, iad ina suí thart fán tine i ndiaidh am tae ag comhrá eatarthu féin fán drochádh a bhí ar Mhánus bocht in Albain agus a leithéid de thimpiste a tharla. Chuaigh siad siar agus siar thairis agus a dtuairim féin ag achan duine. Dúirt cuid acu gur an comhlacht a bhí neamartach ar fad le cnoc de chlocha móra a fhágáil ina shuí ansin gan fál cosanta thart air. Dúirt fear de na comharsanaigh gur tharla a leithéid céanna de thimpiste do Phaitsí Mhailí as Glaise Chú nuair a cailleadh eisean fosta: 'Bhí scaifte mór fear as an áit seo ag obair in áit a raibh cuid mhór foirgneamh á dtógáil taobh amuigh de Londain,' arsa seisean. 'Bhí sé ag siúl trasna an scafaill a bhí thuas leathchéad slat agus é ag iompar bucáid suiminte, nuair a chaill an créatúr a chos agus thit sé go talamh. Sílim go raibh cás dlí ann agus go bhfuair an teaghlach airgead mór as.'

Cé a shiúil isteach ansin ach Fear na mBuataisí. Chuir Bríd Óg fáilte mhór roimhe agus d'iarr air suí aníos go dtí an tine. D'éirigh Seán agus d'fhág an stól aige in aice na tine.

'A Bhríd, a thaisce,' ar seisean, sular shuigh sé, 'tá mé iontach brónach ar fad fá d'fhear céile, Mánus, a cailleadh go tobann. Nach millteanach an buille a fuair tú féin agus do theaghlach.' Ansin chroith sé lámh Sheáin.

Cha raibh na deora i bhfad ó shúile Bhríd Óg. D'éirigh sí agus chuaigh sí go bun an tseomra lena dtriomú.

I ndiaidh di suí anall arís, chuir Padaí ceist uirthi caidé mar a bhí a hathair, mar gur chuala sé ar an bhealach go raibh sé lag.

D'inis Bríd Óg dó go dtáinig an sagart chuige agus gur chuir sé an ola air.

'Bhal,' arsa Padaí, 'tá buaireamh mór orm sin a chluinstin mar is iomaí craic mhaith a bhí againn le chéile. Cha bhíonn duine ar bith agam anois le hargóint nó craic a bheith agam leis.'

''Nois, 'nois, a Phadaí,' arsa Bríd Óg, 'bhí tú tugtha d'imirt cleasanna air thall is abhus, agus bhí a fhios aige go raibh tú i do rógaire ceart corruair.'

Thoisigh Padaí a gháire agus dúirt: 'An bhfuil cuimhne agat ar an oíche a cheol mé *The sash my father wore*? Dúirt sé nach raibh a dhath ionam ach seanAlbanach ceart agus thoisigh sé mo chur amach an doras leis an scuab!' Thoisigh siad uilig a gháire.

Dúirt Seán, a bhí anois ina shuí ar an taobh eile den tine, gur fear a bhí i bPádraig a raibh an focal deireanach aige i gcónaí. 'Char chuir aois meath ar a chuimhne ná ar a theanga, agus má bhí a dhath ann, níos géire a d'éirigh sé ina sheanaois. Tá cuimhne mhaith agam an tráthnóna a tháinig mise aníos go dtí an teach le lámh Shiobhán a iarraidh. "Má tá tú ag smaointiú ar m'iníonsa a phósadh," ar seisean, "caithfidh tú tú féin a chroitheadh suas agus rud inteacht a dhéanamh." Dúirt mé leis go raibh jab agam i mBaile Átha Cliath agus go raibh muid ag smaointiú baint fúinn thuas ansin. "Baile Átha Cliath!" ar seisean, "char chuala mé duine ar bith fán taobh seo tíre ariamh ag gabháil suas go dtí an áit sin. Caidé an cineál oibre a fuair tú?" Seoirse Mhicí a bhí ag cuartú fear le hoibriú ar cheann de na foirgnimh mhóra sin agus dúirt sé go raibh cúpla bliain d'obair mhaith ann. "Bhal," a dúirt sé sa deireadh, "tá súil againn go n-éirí go maith leat i do chuid oibre agus beidh ár mbeannacht libh i gcónaí.'"

'Bhí dúil mhór ag m'athair sa pháipéar nuachta, leis na scéalta agus na hiontaisí uilig a bhí le léamh ann,' a dúirt Bríd Óg. 'Go speisialta páipéar an Domhnaigh, *The Sunday Press;* agus dá mbeadh an lá maith agus an ghrian ag soilsiú, bhéarfadh sé leis amach an páipéar go dtí an claí. Dá bhfeicfeadh sé duine nó beirt de na comharsanaigh ag siúl an bhealaigh mhóir, bhéarfadh sé scairt orthu agus chuirfeadh sé ceist ar léigh siad an píosa a bhí sa nuacht fá Thír Chonaill agus i gcionn bomaite bhí siad uilig ina suí ar an chlaí agus a gceann sáite sa pháipéar.'

'Is iontach nach bhfuil rud inteacht le ráit aige féin, nó b'annamh leis!' arsa Padaí go magúil.

'B'fhéidir go bhfuil sé múscailte anois, a Phadaí. Cuir isteach do cheann go bhfeicfidh tú.'

Sheasaigh Padaí go múinte agus chuaigh sé anonn go colbha na leapa. Thóg sé an cuirtín ar leataobh.

Bhí Pádraig ina luí sa leaba dhruidte a bhí tógtha in aice na tine, a raibh cuirtíní crochta thart uirthi leis an teas a choinneáil istigh. Nuair a chonaic Padaí an chuma a bhí ar

Phádraig bocht, lena anáil á tharraingt aige go gasta, d'aithin sé go raibh an créatúr ag saothrú an bháis.

Thug sé scanradh mór do Phadaí, an méid a chaill sé ó bhí sé anseo go deireanach. Cha raibh ann anois ach na cnámha. Thóg Padaí lámh Phádraig agus dúirt sé: 'Bhal a Phádraig, caidé mar tá tú?'

Ach char dhúirt Pádraig Shéamuis focal.

Bhuail uaigneas millteanach Padaí ag amharc air, agus bhí a fhios aige go mbeadh sé cronaithe go mór. Shiúil Padaí amach an doras agus é go truacánta, gan focal eile a ráit, ná bolgam tae féin a ól.

D'amharc Bríd Óg ina dhiaidh agus chroith sí a ceann go brónach. 'Padaí bocht,' ar sise, 'bhí sé féin agus m'athair ina gcairde móra i gcónaí.' Agus bhí deora ina súile.

Chuaigh Padaí síos go dtí an scioból, áit a raibh sé ag baint faoi an oíche sin, agus chaith sé é féin síos ar shopóg cocháin agus chaoin sé. 'Ba é Pádraig Shéamuis an chéad fhear a chuir fearadh na fáilte romham an chéad uair a shiúil mé isteach sa Ghleann, blianta ó shin. Caidé atá muid ag gabháil a dhéanamh gan é?' ar seisean leis féin. 'Bhí sé mar cheannaire ar an Ghleann.'

Nuair a shocair sé síos, d'fhoscail Padaí a sheanmhála garbh agus thóg sé amach a sheanfhidil. D'amharc sé uirthi agus ar seisean leis féin: 'Is fada an lá a bhain mé port asat.'

Nuair a chuir sé cóiriú beag ar an fhidil, thoisigh sé a sheinm port galánta uaigneach, oiread is a rá: 'A Phádraig, go n-éirí an bóthar leat, a chara dhílis.'

Bhí bean de na comharsanaigh, Sorcha Sheáin, ag siúl aníos an bealach mór an oíche chéanna, ag gabháil a thabhairt cuairte ar theach Phádraig Shéamuis, mar gur chuala sí óna deirfiúr, Méidí, go raibh Pádraig ag meathadh go gasta. Nuair a chuala sí an ceol a ba dheise a chuala duine ariamh. Sheasaigh sí ansin ag amharc suas ar na réalta agus an ghealach agus níos faide suas i dtreo na bhflaitheas.

'Chuala mé iad ag caint ar an bhean sí ag caoineadh agus ag mairgní ag fanacht le duine bás a fháil,' ar sise léi féin, 'ach char chuala mé ariamh aingil Dé ag réitiú an bhealaigh d'anam.'

Shiúil sí isteach i dtigh Phádraig Shéamuis agus í chomh bán leis an bhalla agus dúirt: 'D'fhág Pádraig bocht muid!'

'A Dhia, a chroí, caidé atá tú a ráit?' arsa Bríd Óg. 'Níl sé bomaite ó chuir mé mo lámh air.'

D'amharc Sorcha anonn ar an leaba agus d'éirigh a raibh sa teach ina seasamh.

Chuaigh Bríd Óg anonn arís go colbha na leapa agus thóg sí an cuirtín ar leataobh agus tháinig osna aisti. Nuair a thiompaigh sí thart, bhí na deora ina rith anuas lena haghaidh. Thoisigh sí a chaoineadh 'mo dhaidí, mo dhaidí!' agus cha raibh ciall le cur inti.

'Seo, seo, anois, a thaisce,' arsa Sorcha agus í féin agus Seán ag iarraidh í a cheansú.

I ndiaidh tamaill, nuair a fuair sí a hanáil, chuaigh sí anonn go dtí an leaba agus tharraing sí siar na cuirtíní agus chuaigh sí síos ar a glúine agus chuir tús ar an phaidrín agus dúirt siad uilig deichniúr dá anam. Nuair a sheasaigh siad uilig, chuaigh siad duine ar dhuine go colbha na leapa agus leag lámh ar Phádraig agus d'fhág slán.

'A Sorcha, a chroí,' arsa Bríd Óg, 'caidé an dóigh a raibh a fhios agat gur fhág sé muid?'

D'inis Sorcha an scéal daofa fán cheol iontach a chuala sí. Bhí iontas ar achan duine agus cha raibh a fhios acu ar feadh bomaite caidé a ba chóir daofa a dhéanamh.

Sa deireadh labhair Bríd Óg. 'Caithfidh muid scéala a chur fá choinne an tsagairt agus cur síos fá choinne Mhaigí Mhór leis an corp a ní.'

Tháinig an sagart go gasta agus chuir sé an ola air arís. Bhí cuid de na comharsanaigh istigh anois ag déanamh comhbhróin. Chuir an sagart ceann ar an phaidrín go húr agus léigh sé paidreacha os a chionn. Ansin rinne sé a chomhbhrón leis an teaghlach agus d'fhág a bheannacht acu.

Chuir Seán scéala anonn chuig Conall Mhánuis fá choinne na cónrach.

Bhí ar Sheán an scéala brónach fá bhás a hathara a chur chuig Siobhán i mBaile Átha Cliath agus b'uaigneach é ag éisteacht léi ag caoineadh fana daidí agus a croí bocht briste agus é mílte uaithi agus gan é ábalta croí isteach a thabhairt di. Dúirt sí le Seán go mbeadh sí ar an chéad bhus maidin lá arna mhárach.

Bhí a fhios ag Padaí na mBuataisí go mbeadh Bríd Óg agus an teaghlach iontach gnoitheach anois ar feadh cúpla lá agus i ndiaidh scíste beag a fháil ina leaba chocháin, d'éirigh sé agus chuir air a chóta. Thóg sé a mhála garbh agus chaith siar ar a dhroim é. Ansin, tharraing sé doras an sciobóil ina dhiaidh agus shiúil sé síos an Gleann.

Rinneadh faire dhá lá ar Phádraig, le daoine agus comharsanaigh amach is isteach ó mhaidin go hoíche. Tháinig Siobhán ar an bhus lá arna mhárach agus is orthu a bhí an brón agus an buaireamh. Bhí sé ina fhaoiseamh bheag ag Bríd Óg í a fheiceáil mar go mbeadh Siobhán ina cuidiú mhór aici féin agus Seán. Chuidigh mná na háite leo fosta, ag déanamh tae do achan duine a tháinig isteach.

Bhí ofrálacha le tógáil ag an teaghlach don tsagart agus i

rith na faire shuigh Seán, fear Shiobhán, ag tábla taobh istigh den doras le cóipleabhar agus peann. Thug achan duine a tháinig isteach scilling nó dhó don ofráil agus scríobh Seán a n-ainmneacha agus a seolta sa chóipleabhar go cúramach. Lá an tórraimh, thug Bríd Óg an cóipleabhar agus an t-airgead don tsagart go bródúil agus ag deireadh an Aifrinn léigh sé amach ainm achan duine agus an méid a dhíol siad.

Cuireadh Pádraig Shéamuis Ó Briain ag taobh a mhná céile, Bríd Nic Pháidín, sa reilig úr i gCnoc Fola.

Bhí ar Shiobhán agus Seán pilleadh ar Bhaile Átha Cliath agus bhí Bríd Óg bhocht fágtha gan a céile, Mánus, gan máthair ná athair, agus gan a deirfiúr Máirín. Bhí sí uaigneach sa teach léi féin.

4.

Donncha agus Maerí Bheag

BHÍ DONNCHA MHÁIRE AGUS MAERÍ BHEAG INA gcónaí leo féin agus bheadh siad caillte gan a n-iníon Gráinne a bhí i gcónaí amach agus isteach chucu. Cha raibh lá ar bith nach raibh sí féin agus na páistí ag déanamh garanna beaga daofa. Bhí na cnámha ag cur isteach go mór ar Dhonncha anois agus cha raibh mórán maith ann le bó a chur amach ná isteach, nó gar ar bith eile a dhéanamh thart fán teach, ach bhí Maerí Bheag gasta ar a cos go fóill. Thug a mac, Tomás, cuairt orthu thall is abhus agus gheall go dtiocfadh sé 'na bhaile le cuidiú a thabhairt nuair a bheadh siad ag gabháil siar i mblianta. Bhí jab maith ag Tomás i Sasain ag obair sna tolláin agus ag saothrú airgead mór. Cha dtiocfadh leo creidbheáil nuair a shiúil sé isteach lá amháin lena chuid málaí uilig leis.

Bhí lúcháir an domhain ar Dhonncha agus ar Mhaerí Bheag, agus go speisialta ar Ghráinne, nó thóg seo ualach mór di mar go raibh buaireamh uirthi i gcónaí go bhfaigheadh sí duine acu loite, nó rud inteacht níos measa. Chuir an teaghlach fáilte mhór roimh Thomás agus bhí na comharsanaigh amach is isteach agus lúcháir mhór orthu uilig. Dúirt Tomás gurb é an chéad rud a bhí sé ag gabháil a dhéanamh ná teach úr a thógáil.

'Bhal,' a dúirt Donncha, 'rinne an seanteach jab maith le blianta, ba é bhur n-athair mór a thóg é fada ó shin.'

Bhí cuimhne mhaith ag Maerí Bheag nuair a phós sí isteach ann, dhá sheomra leapa agus cisteanach i lár báire a bhí ann an t-am sin. Cha raibh leithreas ar bith sna tithe na blianta sin, ná solas leictreach.

Bhí lúcháir an domhain ar an tseanphéire go raibh Tomás le teach a thógáil agus cha dtiocfadh le Maerí Bheag an t-eolas a choinneáil aici féin rófhada, agus nuair a shiúil a cara maith, Méidí, isteach lá arna mhárach, ba é sin an chéad phíosa nuachta a d'inis sí.

'A Dhia inniu!' arsa Méidí, 'bhéarfaidh sin uchtach mór daoibh. Bhí mé ag caint leis inné; nár thiompaigh sé amach ina fhear bhreá, beannacht Dé air! Thig libh a bheith bródúil as!'

Cé a shiúil isteach ansin ach Bríd Óg, i ndiaidh a bheith sa tsiopa, agus chuir siad uilig fáilte roimpi.

'Tháinig mé isteach le fáilte a chur roimh Thomás,' ar sise. 'Chan fhaca mé faic de ó tháinig sé 'na bhaile. Caidé mar tá sé?'

'Ó, a Bhríd Óg,' arsa Maerí Bheag. 'Tá sé ar dóigh. D'imigh sé siar 'na gCroisbhealaí le focal a chur ar fhear fá choinne teach úr a thógáil.'

'Bhal,' arsa Bríd Óg, 'maith an fear é!'

'Suigh aníos go dtí an tine,' arsa Maerí Bheag, 'agus beidh bolgam tae againn. Caidé mar tá tú ag gabháil ar aghaidh, a thaisce? Beidh tú uaigneach leat féin anois.'

'Arú, tá mé ag gabháil liom. Buíochas do Dhia go bhfuil daoine i gcónaí amach is isteach,' arsa Bríd Óg. 'Tá scaifte i gcónaí istigh san oíche ag imirt chártaí agus tá Siobhán agus Seán ag teacht gan mhoill agus iad ag caint ar theach úr a thógáil fosta.'

'Caithfidh muid a bheith buíoch don tsagart as an chuidiú agus as an uchtach a thug sé do dhaoine, ar tús an leictreachas agus ansin uisce píopaí, nach bhfuil muid ar dóigh!' arsa Maerí Bheag.

'An bhfuil a fhios agat?' arsa Méidí 'Tá an ceart agat. Tá sé ag tabhairt croí agus uchtaigh do na daoine ag amharc ar an aos óg ag teacht 'na bhaile.'

'Sin fear eile, Peadar Mac Géidigh, atá ag caint ar theach úr a thógáil fosta,' arsa Maerí Bheag.

'Dúradh gur fágadh an teach agus an talamh ag Síle.'

'Bhal,' a dúirt Méidí, 'de réir mar a chuala mise, cha bhíonn mórán feidhme aici ar an tseanteach nó tá sí ag siúl amach leis an mháistir scoile, Diarmuid Ó Dónaill, agus é ag déanamh jab mór ar theach an mháistir. Caitheadh amach achan chineál seantroscáin a bhí istigh sa teach, agus chuir siad tine ann uilig thiar i gcúl an tí. Agus tháinig leoraí mór as ceann de na siopaí i Leitir Ceanainn le rudaí galánta; leapacha, cófraí agus cathaoireacha agus achan chineál!'

'Bhal,' arsa Bríd Óg 'fuair sé bean mhaith i Síle. D'fhág sí a cupa ar an tábla. 'A Dhia, caithfidh mé a dhul suas agus an bhó a ligint amach. Tá sí chomh bradach agus mo chroí briste ina diaidh.' Thóg sí a cuid málaí agus d'fhág sí slán acu.

'A Dhia inniu,' arsa Maerí Bheag, nuair a bhí Bríd imithe, 'nach sin bean a fuair a sáith buairimh agus briseadh croí. Máirín Bheag ar tús agus ansin Mánus bocht, gan labhairt ar a máthair agus a hathair, go ndéanfaidh Dia a mhaith orthu uilig.'

'Tá sé ráite,' arsa Méidí, 'go bhfuair sí lab mór airgid anall as Albain anuraidh as an timpiste a tharla do Mhánus bocht. Dúradh go dteachaidh an cás suas 'na cúirte agus gurb é an comhlacht a bhí neamartach ina gcúram. Chuir siad a gcuid oibrithe i ndainséar, an dóigh ar fágadh cnoc mór na gcloch, ach ar chaoi ar bith, baineadh an cás. An triúr a cailleadh, fuair a gcuid daoine muintreacha suim mhaith airgid, agus an mhuintir a loiteadh, fuair siadsan airgead maith fosta. Sin an rud a chuala mé thall i siopa Joe,' arsa Méidí.

'Maise, d'fhéadfá a rá,' arsa Maerí Bheag, 'caidé an mhaith atá in airgead nuair atá tú gan chéile?'

'Tá sé níos fearr ná gan a leathphingin a fháil!' arsa Méidí, 'agus Bríd Óg ina bean bhreá go fóill.'

'Tá an ceart ansin agat,' arsa Maerí Bheag. 'Tá a fhios agam go bhfuil go leor fear thart anseo a bheadh níos mó ná sásta lámh mná chomh breá léi a fháil,' ar sise agus í ag smaointiú ar a mac féin, Tomás.

5.

An bealach 'na bhaile

BHÍ BRÍD ÓG AG SIÚL SUAS AN GHLEANNA I nDIAIDH a bheith sa tsiopa, ag smaointiú ar na blianta a chuaigh thart agus achan rud a tharla, agus nach raibh a dhath fágtha aici anois ach a dá lámh fholmha. 'Is dóiche gur chuir Mánus agus mé féin cuid mhór ama amú ag smaointiú ar na rudaí uilig a bhí muid ag gabháil a dhéanamh,' ar sise léi féin. 'Bhí muid ag caint ar airgead a shábháil fá choinne teach úr a thógáil nuair a thiocfadh muid 'na bhaile as Albain, go mbeadh muid ansin ábalta smaointiú ar chlann, ach faraor...,' lig sí osna throm, 'chan sin mar a bhí i ndán dúinn.'

Bhí sí ag siúl chomh gasta sin agus a ceann lán de smaointe, nuair a bhuail sí isteach in éadan fear ard agus hobair nár leag siad a chéile agus é ag teacht amach an geata beag.

'Á, sin tú!' ar seisean. 'Bhí mé do chuartú.'

'A Dhia,' arsa Bríd Óg, 'bhí mé ar shiúl leis na sióga!' D'amharc sí ar a cuid málaí a thit agus dá raibh istigh iontu scaipthe thart ar an bhealach mhór.

'Cha n-aithníonn tú mé,' ar seisean, ag tógáil suas arán, im agus siúcra agus á gcur isteach sa mhála arís.

'A Dhia, a Pheadair, tá mé buartha ... aithním cinnte!' ar sise. 'Bhí mo cheann i mo bhróga agam. Tiocfaidh tú isteach bomaite go gcuirfidh mé an bia seo sa chófra agus beidh cupa deas tae againn; sin má tá faill agat!'

'Tiocfaidh cinnte!' arsa Peadar. 'Bheadh cupa tae galánta!'

Chuir Bríd Óg na rudaí isteach sa chófra agus chuir síos an citeal.

'Suigh anseo bomaite, a Pheadair,' arsa Bríd Óg, 'agus coinnigh do shúil ar an chiteal sin ... tóg ar leataobh é nuair a rachaidh sé a ghail. Caithfidh mé an bhó a ligint amach nó gheobhaidh sí bás leis an ocras.' Agus d'imigh sí amach an doras.

Shuigh Peadar ag taobh na tine ag amharc thart ar an tseomra agus ar seisean leis féin: 'Nár chailleadh millteanach a bhí i Mánus Sheáin, agus d'fhág sé ina dhiaidh bean bhreá.' Thoisigh an citeal a ghail agus d'éirigh Peadar lena thógáil ar leataobh.

'Arú, a Pheadair,' ar sise agus í ag teacht isteach go gasta, amach as anáil, 'tá an bhó sin chomh bradach agus mo chroí briste ina diaidh.'

'An bhfuil a fhios agat,' arsa Peadar, 'sin scéal atá mé a chluinstin in achan teach. Cá tuige nach gcuireann sibh fál sreinge de chineál inteacht thart ar na cuibhrinn?'

'Nár mhaith é,' arsa Bríd Óg. 'Jab mór a bheadh ann agus cé a bhí ag gabháil a dhéanamh!'

Shuigh siad síos ag an tábla ag comhrá agus ag ól cupa tae.

'Chan fheicim thart fán áit tú rómhinic,' arsa sise. 'Tá tú ag coinneáil iontach gnoitheach i gcónaí....'

'Á, tá a fhios agat an dóigh a bhfuil sé ... tá an teach thíos fuar folamh agus na seandaoine bochta caillte. Níl mórán suime agam a theacht anois rómhinic,' ar seisean. 'Ach cha dtiocfadh liom a choíche an ceangal a bhriseadh ... tá mo chroí istigh san áit, agus sa Ghleann. Fágadh an teach agus an talamh ag Síle agus tá mé iontach sásta leis sin! Sin an tuige ar shiúl mé aníos an Gleann, le focal a bheith agam leat féin.'

'Ó,' arsa Bríd Óg agus iontas ag teacht ina haghaidh.

'Is é an cheist atá agam duit,' arsa Peadar, 'ná seo: an ndíolfá an pháirc ghlas liom?'

D'éirigh Bríd Óg ciúin ar feadh tamaill agus ar sise: 'Nach ndíolfadh Síle píosa talaimh leat?'

'Bhal, is é an dóigh a bhfuil sé,' ar seisean. 'Cha bheadh trioblóid ar bith ansin, ach tá mo chroí istigh sa pháirc ghlas agus an áit a bhfuil sí suite ag amharc síos an Gleann, áit ghalánta a bheadh ann do theach úr.'

'Caithfidh mé aontú leat,' arsa Bríd Óg. 'Agus fiú amháin Fear na mBuataisí, níl dúil aige an Gleann a fhágáil ina dhiaidh rófhada.'

'An bhfuil sé i gcónaí ag tabhairt cuairte ar an Ghleann?' arsa Peadar.

'Tá,' arsa Bríd Óg. 'Bhí sé anseo an tseachtain s'chuaigh thart agus b'éigean domh deoch the a dhéanamh dó agus é a chur a luí sa tseomra cúil, mar bhí an créatúr lag ar a chosa le slaghdán. Cronaíonn sé m'athair go millteanach, nó bhí an bheirt iontach mór le chéile. Ba ghnách leo suí ansin cois tine ag comhrá agus a dh'inse scéalta.'

Bhí Peadar agus Bríd Óg ina suí go deas nádúrtha, cosúil le péire ar bith. D'amharc Bríd Óg ar an fhear mheánaosta seo, a raibh aithne aici air ó bhí sí ag gabháil 'na scoile, agus dúirt sí léi féin: 'Seo fear nach ndeir mórán; fear cúramach druidte, fear a fuair meas na gcomharsan as an dóigh a d'amharc sé i ndiaidh a mhuintir agus a dheirféar i gcónaí.'

'Caidé fá dtaobh díot féin?' arsa Bríd Óg. 'Char chuala mé iomrá ar bhean óg ar bith.'

D'éirigh Peadar rud beag faiteach: 'Cha raibh mórán maith ionam ariamh leis na mná.'

'Bhal anois!' arsa Bríd Óg. 'Níl a fhios agam cá tuige … fear breá cosúil leat féin. Tá iontas orm nach bhfuil siad ag briseadh a gcos i do dhiaidh.'

D'éirigh Peadar agus dúirt: 'Thig leat smaointiú ar an cheist sin a chuir mé ort, a Bhríd Óg. Níl deifre ar bith orm ... beidh mé ag gabháil ar ais go hAlbain i gceann cúpla lá, agus labharfaidh muid air nuair a thiocfas mé ar ais. Tá John Joe, an fear a bhfuil mé ag obair dó, i ndiaidh a dhul isteach chun ospidéil agus níl a shláinte go maith, agus dá bhrí sin, caithfidh mé a dhul ar ais go luath; ach le cuidiú Dé, tiocfaidh mé ar ais gan mhoill.'

Smaointigh Bríd Óg agus ar sise: 'B'fhéidir go dtiocfá aníos amárach fá choinne dinnéara, tá mé anseo liom féin agus coinneoidh muid cuideachta le chéile.'

'Bhal anois,' arsa Peadar. 'Char mhaith liom a dhath ní b'fhearr, a Bhríd. Go raibh maith agat.'

D'fhág sé slán agus bhí sé ar shiúl amach an doras.

Nuair a fágadh Bríd Óg léi féin cuid mhaith blianta roimhe sin, cha raibh faill aici smaointiú uirthi féin leis an mhéid a tharla. Anois, nuair a d'fhágfadh na comharsanaigh an teach san oíche agus í ar a haonar, bheadh a croí trom agus uaigneach agus cumha millteanach uirthi ag smaointiú ar an dóigh a sciobadh Mánus bocht uaithi. Corruair bhéarfadh sí anuas bocsa beag na litreacha a bhí thuas ar bharr an dreisiúir agus scaoileadh sí an tsnaidhm den ribín a bhí á gcoinneáil le chéile agus thógadh sí amach na litreacha uilig a chuir Mánus chuici. Léigh sí chomh minic sin iad go raibh achan líne agus achan fhocal scríofa go soiléir ina croí agus ina cuimhne cosúil le hurnaí. Luigh sí siar sa leaba ag smaointiú ar achan rud a gheall siad dá chéile agus chaoin sí deora móra. I ndiaidh tamaill, d'éirigh sí ciúin. Bhí Mánus léi arís, bhí siad ar ais arís i dtús a n-óige, nuair a ba ghnách leo bualadh suas le chéile i ngan fhios thíos ag claí buí na haiteannaí, iad go leagtha isteach ina chéile, ag gáire agus ag comhrá agus iad chomh háthasach. Chuir sí a lámh ina lámh, a béal ar a bhéal, mar ghéaga óga i dtús an earraigh ag casadh agus ag cuartú, iad ag éirí suas ar bhratach síoda na réalta ar an bhealach go cnoc an óir agus mar bhláthanna áille i dtús an tsamhraidh ag scaipeadh a gcuid pailine le gaoth.

Nuair a mhúscail Bríd Óg maidin lá arna mhárach, bhí na litreacha scaipthe thart ar an leaba agus ar an urlár. D'éirigh sí agus chuir sí uirthi a cuid éadaigh agus ansin chuir síos tine bhreá na maidne. Chruinnigh sí suas na litreacha uilig agus chuir sí an ribín orthu arís. Sheasaigh sí bomaite ag amharc ar bhladhaire na tine ag éirí suas agus leis sin, chaith sí beart na litreacha isteach i gcúl na tine.

'A Mhánuis, a chroí,' ar sise. 'Tá an t-am an ceangal a bhriseadh agus ligint duit a ghabháil chun suaimhnis agus tú a fhágáil faoi bhrat Dé. Slán leat, a chroí. Cha ndéanaim dearmad díot a choíche.'

Ar maidin Dé Máirt, bhí ábhar mór goil agam féin,
Bhí na gloiní ar an clár is iad lán amach go dtí 'n béal
Gach coimín is gach cearn is gach hard dá raibh eadrainn ariamh
Mo chúig mhíle slán le do lámh a bhí tharam 's nach mbíonn.

Nach cuimhin leat an oíche a bhí mé is tú, a ainnir na gciabh
Inár luí ins an fhraoch agus an saol ag gabháil tharainn aniar?
Cé gur mhilis an fíon is díomasach bhíos duine ina dhiaidh;
Bhí mo shearbhónta críonna, faraor, is bhí mise gan chéill.

6.

Is fada an bóthar gan casadh

AG DEIREADH AN FHÓMHAIR SA GHLEANN, BHÍ RUDAÍ ag socrú síos. Bhí éanacha spéire ag cruinniú ina scaotha anseo agus ansiúd ag ceol, le gleo millteanach acu, ag déanamh réidh fá choinne a dturas fada go dtí na tíortha teo. Bheadh siad ag fágáil slán ag an Ghleann go dtí an bhliain seo chugainn.

Bhí an barr uilig sábháilte, na prátaí sna poill agus an mhóin tirim sa bhaile fá choinne an gheimhridh. Bhí an t-aos óg ag imeacht thar sáile arís fá choinne cúpla mí eile oibre. Bhí am gnoitheach curtha isteach acu ó thus an earraigh go deireadh an fhómhair.

Fuair Peadar Mac Géidigh an pháirc ghlas agus bhí an teach úr leath-thógtha aige. Bhí Tomás Mhaerí ag plástráil agus ag péinteáil a thí féin agus iad ag dréim le dhul isteach sa teach úr roimh an Nollaig.

Bhí fear céile Ghráinne, Conall Mháire Mhicí, sa bhaile anois le cúpla bliain agus iad ag déanamh ar dóigh. Bhí sé ar an dól agus bhí sé ag díol mónadh le stáisiún na mónadh i Mín na Cuinge i nGaoth Dobhair, áit a thug tacaíocht mhór dó féin agus do na comharsanaigh uilig. Bhí na páistí ag éirí aníos agus bheadh siadsan ag éirí láidir agus ina gcuidiú mhór acu.

Cha dtáinig Siobhán agus Seán agus a gclann úr 'na bhaile le cónaí go fóill. Bhí mac agus iníon acu anois agus a gcroíthe istigh iontu. Bhí Seán ag déanamh go maith agus ag saothrú airgead mór ag thógáil tithe i mBaile Átha Cliath. Cé gurbh fhearr leo an tslí bheatha a bhí sa Ghleann, cha raibh siad ábalta an briseadh a dhéanamh go fóill le Baile Átha Cliath.

Bhí Méidí agus Seán ag déanamh go maith ach cailleadh Donncha, fear Mhaerí Bheag thart fán am sin. Bheireadh Méidí cuairt bheag uirthi go minic. An lá fá dheireadh, nuair a thug Méidí cuairt bheag isteach chuici, bhí sí ina suí amuigh le taobh an tí ag cleiteáil, agus í ag baint pléisiúr as an aimsir dheas gréine a bhí siad a fháil anois ag deireadh an fhómhair.

'Tá muid ag fáil na gréine anois agus cha raibh sí le feiceáil nuair a bhí an mhóin le triomú! Sin an dóigh a bhfuil sé!' arsa Maerí Bheag.

'Caidé mar tá tú, a chroí?' arsa Méidí.

'Tá mé ag gabháil liom,' ar sise. 'Uaigneach gan Donncha bocht agus iontach brónach nach bhfuil sé anseo leis an teach úr a fheiceáil.'

'Bhí sé go bródúil as Tomás agus an obair mhaith a bhí á déanamh aige ar an fheirm agus ag tógáil an tí.'

'Tá a fhios agam, a chroí,' arsa Méidí. 'Fear maith deirceach cineálta a bhí i nDonncha agus é réidh le gar a dhéanamh do cé bith a bhí in anás, agus nár mhinic a thug sé lá oibre do mo Sheán féin agus do na comharsanaigh uilig ó am go ham,' ar sise. 'Agus, a Mhaerí, cha ndéanann na daoine dearmad de rudaí mar sin a choíche.'

'Tá an ceart agat, a Mhéidí. Bhí croí mór maith aige!' Agus thoisigh na deora lena súile.

'Seo, seo, anois!' arsa Méidí. 'Tá dó sháith caointe déanta agat. Cé sin a tchím ag teacht aníos ag corradh Mhéabha?'

Thóg Maerí suas coirnéal a naprúin agus thriomaigh sí a súile agus d'amharc síos an bealach mór. 'Tá an bhean sin cosúil le Bríd Óg,' ar sise. 'Ach nach í atá mall anásta ina siúl.'

'Char chuala tú an chaint atá ag gabháil thart,' arsa Méidí ag amharc ar Mhaerí Bheag.

'Caidé an chaint?' arsa Maerí Bheag.

'Tá sí le leanbh.'

'Bríd Óg le leanbh!' a dúirt Maerí Bheag agus iontas an domhain ar a haghaidh.

'Sea!' arsa Méidí. 'Caithfidh muid a bheith buíoch do Dhia go bhfuil a máthair agus a hathair saor ón bhuaireamh seo.'

Bhí Bríd Óg anois ag teacht níos cóngaraí daofa.

'Cé athair an linbh?' arsa Maerí Bheag.

'Bhal, sin an rud. Dúirt siad go bhfuil sí ag coinneáil ainm an athara aici féin. Agus is é an rud é...' arsa Méidí, '...tá achan scéal amuigh! Nach bhfuil scaifte fear ag imirt chártaí aici cúpla uair sa tseachtain agus tuilleadh ag cuidiú léi an fheirm a oibriú.'

'A Dhia inniu!' arsa Maerí Bheag.

'Sea,' arsa Méidí. 'Tá achan fhear sa cheantar ainmnithe, óg agus sean, ach nach bhfuil a fhios agat an dóigh a mbíonn daoine ag caint! Ach deirimse...' ar sise, 'caidé sin don té sin!'

I ndiaidh tamaill, dúirt Maerí: 'Bhal, beidh an t-ádh ar an fhear a gheobhas an bhean chéanna.'

'Tá an ceart ansin agat,' arsa Méidí.

Thóg Bríd Óg a lámh leo agus í ag siúl suas thart leis an teach.

Bhí sé thart fá mhí na Samhna nuair a bhí Bríd Óg ag fanacht leis an bhus thiar ar na Croisbhealaí agus scaifte acu ina seasamh thart ag stop an bhus ag comhrá nuair a tháinig Sisí Mhícheáil anall ag comhrá le Bríd Óg.

'Caidé mar tá sibh uilig thuas sa Ghleann?' arsa Sisí.

'Á, tá muid ag gabháil linn!' arsa Bríd Óg. 'Cha dtáinig Siobhán agus Seán anuas go fóill.'

'Bhal,' arsa Sisí. 'Tiocfaidh siad nuair a bheas an jab mór atá ag Seán críochnaithe. Caidé mar tá tú féin agus cá huair atá tú ag feitheamh? Le hamharc ort déarfainn nach bhfuil agat ach na cúpla seachtain.'

Bean a bhí i Sisí Mhícheáil a thiocfadh go dtí an teach le cuidiú agus comhairle a thabhairt do mhná a bhí le leanbh. Bhí a fhios ag mná na háite uilig go raibh Sisí speisialta maith ag an jab seo, agus é ráite go raibh sí chomh maith le banaltra ar bith.

'Caidé? Cúpla seachtain?' arsa Bríd Óg agus scanradh ar a haghaidh. 'A Dhia inniu, caidé atá mé ag gabháil a dhéanamh? Shíl mé go raibh cúpla mí eile fágtha agam.'

'Anois,' arsa Sisí, 'rachaidh mise suas amárach agus tchífidh muid ansin caidé chomh cóngarach don am atá tú, agus ná bíodh buaireamh ar bith ort, thig leat scéala a chur fá mo choinne am ar bith!'

'Go raibh míle maith agat, a Shisí! Beidh mé ag fanacht leat amárach.'

Bhí Sisí Mhícheáil chomh maith lena focal agus shiúil sí isteach chuig Bríd Óg go luath maidin lá arna mhárach sula raibh bó blite nó cearc as cró. Bhí Bríd Óg ag ól cupa tae. Thug sí anall cupa eile agus d'iarr ar Shisí suí síos.

'A Dhia, a Shisí,' arsa Bríd Óg, 'nach tú atá ar do chosa go luath!'

'Bhal,' ar sise, 'bhí an cleachtadh sin ariamh agam ó am na seandaoine, mar cha raibh mórán dúile acu a bheith ina luí ag falsacht ar maidin,' ar sise. 'Ach tá dúil mhór ag mo Shéamus sa leaba, agus leoga bíonn sé falsa go leor a chosa a chur thar cholbha na leapa ar maidin. Ach creidim go mbíonn an scíste beag tuillte aige i ndiaidh chomh crua agus a oibríonn sé.'

Nuair a bhí an cupa tae ólta acu, d'iarr Sisí ar Bhríd Óg luí siar sa leaba, agus i ndiaidh í scrúdú beag a dhéanamh uirthi, dúirt sí: 'Tá cúpla seachtain eile agat, a thaisce. Char thit ceann an linbh anuas ina áit go fóill.'

D'iarr sí ar Bhríd Óg scéala a chur chuici a luaithe a gheobhadh sí pian. Gheall Bríd Óg go ndéanfadh sí sin.

7.

Lasóg sa bharrach

BHÍ DÚIL I gCÓNAÍ AG MÉIDÍ RÁSA BEAG A THABHAIRT
síos go dtí Maerí Bheag le cuideachta a choinneáil léi. An lá
seo, bhí Nuala Timí as bun an bhaile ina suí istigh roimpi agus
an bheirt ag comhrá. Chuir Méidí fáilte mhór roimh Nuala
aníos chun an Ghleanna agus chuir ceist caidé mar a bhí a fear,
Dom, agus an teaghlach.

'Tá Dom go maith, ach bíonn na cnámha ag cur air anois
go minic. Agus tá an t-aos óg uilig scaipthe achan áit. Tá an
stócach i Meiriceá agus an bheirt ghirseach thall in Albain.
Tógfaidh tú go maith iad agus le caochadh na súl tá siad
scaipthe agus tú fágtha uaigneach leat féin. Ach caidé atá fán
bhaile acu?' arsa Nuala agus í ag triomú na súl.

Bean dheas dhílis chráifeach a bhí i Nuala, nach ndéarfadh
drochfhocal ariamh fá dhuine ar bith. B'as cúl Chnoc na
Naomh dá fear, Dom Hiúdaí. Bhí siad iontach mór lena nia,
Paitsí Neilí, a bhí i gcónaí ag tabhairt lámh chuidithe daofa
thart fán fheirm. Bhí sé ráite leoga go raibh seans aige titim
isteach ar an fheirm, nuair nach raibh suim ag duine ar bith
dá gclann féin ann.

Chuaigh an comhrá ar aghaidh eatarthu cé bith agus cé a
shiúil isteach ach Rósaí Mhór agus í ar an bhealach go hoifig
an phoist. Chuir siad uilig fáilte mhór roimpi agus shuigh sí
síos tamall ag comhrá.

'Chonaic mé Sisí Mhícheáil ag gabháil suas chuig Bríd Óg go luath ar maidin,' arsa Rósaí Mhór. 'Creidim go bhfuil sí ag teacht cóngarach dá ham.'

'A Dhia,' a dúirt Maerí Bheag, 'nach mbeidh sé galánta fáilte a chur roimh leanbh beag úr chun an Ghleanna. Déarfainn gurb í Síle Bheag, mo ghariníon, an leanbh deireanach a rugadh anseo sa Ghleann agus beidh sise ceithre bliana gan mhoill. Tá a fhios againn nach bhfuil mórán maith a bheith ag fanacht le tuilleadh ó Ghráinne s'againne nó déarfainn go bhfuil a mála folamh anois.'

'Nach dtearn sí go maith!' arsa Rósaí Mhór. 'Fuair sí trí stócach agus girseach bheag ghalánta, rath Dé orthu!'

'Fuair, buíochas do Dhia!' arsa Nuala. 'Agus iad uilig go breá folláin.'

Nuair a bhí cupa an tae ólta acu, thug Maerí Bheag amach bocsa beag snaoisín a bhí i dtaisce aici i gcónaí i bpóca a naprúin agus chuir sí thart é ó bhean go bean gur bhain siad uilig snaoise beag as.

Bhí Méidí i gcónaí ag smaointiú ar an dóigh ab fhearr le bogadh beag a chur sa chuideachta nuair a thiocfadh sos sa chomhrá. Deireadh na seandaoine: 'Caith ola le bladhaire nó salann le créacht,' fá choinne splanc diabhlaíochta a chur sa chraic. Smaointigh Méidí bomaite agus ar sise: 'Chuala mé go bhfuil marc ag Paitsí Neilí ar an leanbh chéanna!'

Bhí a fhios aici go raibh Rósaí Mhór iontach tobann agus í mór le clann Phádraig Shéamuis mar go raibh ceangal pósta eatarthu. Bhal, bhí go leor ráite. D'éirigh Rósaí Mhór ina seasamh agus í sé troithe ina cuid bróg ard agus a cuid súl go mór ag damhsa ina cloigeann.

'Caidé atá tú ag ráit?' ar sise. 'Go bhfóire Dia orainn inniu agus amárach, cá háit ar chuala tú na scéalta sin?'

Fear tanaí suaimhneach a bhí i bPaitsí Neilí agus aithne air ar fud an cheantair agus tréan aithne aige ar Bhríd Óg fosta mar bhí sé ar cheann de na fir a raibh dúil mhór aige sna cártaí. Nuair a thiocfadh séasúr na scadán agus na ronnach, tchífeá Paitsí ag gabháil thart lena chapall agus carr ag díol éisc ó theach go teach.

'Cá bith fear a bpiocfaidh sí,' arsa Rósaí Mhór, 'beidh air níos mó ná scadán nó beirt a ithe fá choinne a bheith ábalta ag bean chomh breá le Bríd Óg!' Agus shiúil sí i dtreo an dorais. Nuair a thiompaigh sí thart, bhí diabhlaíocht ina cuid súl. Chas sí agus d'imigh sí gan focal eile a ráit.

Má chaith Méidí ola leis an bhladhaire, chuir Rósaí Mhór salann sa chréacht. Bhí Nuala bhocht ag fáisceadh a cuid lámh agus úthairt bhocht uirthi. D'éirigh sí ina seasamh agus í ag cuimilt síos agus ag cur míne ar a naprún agus dúirt: 'Tá béal millteanach ar an bhean sin!'

'Arú, a Nuala, ná tabhair aird ar bith uirthi. Cha bhíonn sí ach ag magadh.' arsa Méidí.

'Bhal, lá maith daoibh!' arsa Nuala agus d'imigh sí féin amach an doras.

'Tá tú chomh maith ag an rógaireacht is a bhí ariamh, a Mhéidí,' arsa Maerí Bheag. 'A Mhaighdean inniu, bhí Nuala bhocht chomh briste … an bhfaca tú a ceann crom síos aici?'

'Tá Rósaí Mhór chomh maith le braon póitín ag daoine,' arsa Méidí.

'Chan póitín a fuair Nuala bhocht ach bainne ramhar,' arsa Maerí Bheag. 'Nach muid na diabhail chearta ag tabhairt buile mar sin don bhean bhocht!'

'A Dhia, níl sé ceart ná cothrom,' arsa Méidí, agus iad ag triomú a gcuid súl.

8.

Glúin úr

BHÍ BRÍD ÓG ANOIS CÓNGARACH DÁ hAM AGUS SISÍ Mhícheáil ag coinneáil súil ghéar uirthi. D'inis sí do Shisí go raibh eagla uirthi a bheith sa teach léi féin san oíche.

'Bhal,' arsa Sisí, 'd'fhanfainn féin agat ach gurb é mo Shéamus bocht. Tá a dhroim síos leis an obair, ach caithfí go bhfuil go leor ban i mbaile beag an Ghleanna a mbeadh lúcháir orthu cúpla oíche a chaitheamh leat go dtiocfaidh an leanbh.'

Cúpla lá ina dhiaidh sin, bhí Bríd Óg ag teacht aníos as an tsiopa nuair a bhuail sí suas le Méidí Sheáin agus d'inis di a buaireamh.

'Fan go bhfeice mé,' arsa Méidí. 'Caidé fá Neansaí Jimí? Níl leanbh, bó ná cearc fán teach aici le cúram a thabhairt daofa.'

'Níl mórán aithne agam uirthi,' arsa Bríd Óg.

'Seo bean mheánaosta a raibh cónaí uirthi lena deartháir gur phós sé,' arsa Méidí. 'Dúradh gur phós sé bean ghéar dhalba agus nach raibh na mná ag teacht le chéile. Tá a fhios agat an dóigh a mbíonn sé, achan duine acu ag déanamh gur í féin an madadh bán. D'fhág Neansaí iad agus tháinig sí a chónaí i mbaile beag Ghlaise Chú go seanteach a d'fhág a seanuncail aici. Dúirt na comharsanaigh go dtearn sí obair mhillteanach sa teach agus gur chóirigh sí é go galánta. Bean mhaith stuama í.'

'Rachaidh mé anonn amárach agus cuirfidh mé ceist uirthi,' arsa Bríd Óg.

Le scéal fada a dhéanamh gairid, dúirt Neansaí go rachadh sí siar an oíche sin le cuideachta a choinneáil léi agus fáilte. Na cúpla oíche a chaith sí i gcuideachta Bhríd Óg i dteach Phádraig Shéamuis, bhí an bheirt ag teacht ar aghaidh go breá, agus ba ghnách leo suí isteach leis na fir ag imirt cúig fichead. I ndiaidh cupa tae a ól rachadh na comharsanaigh 'na bhaile, ach an oíche seo, cé a shiúil isteach ach Fear na mBuataisí agus chuir an bheirt bhan síos an citeal dubh arís. Bhí lúcháir mhór ar Bhríd Óg agus shuigh an triúr thart cois na tine ag comhrá agus ag ól tae.

Sa deireadh, d'éirigh Bríd Óg: 'Tá mise ag gabháil a bhaint mo leaba amach, nó tá mé marbh tuirseach. Caithigí cúpla fód eile ar a tine nó beidh sibh conáilte.'

D'fhág sí Padaí agus Neansaí ag inse scéalta agus craic mhillteanach ag an bheirt.

Am inteacht i lár na hoíche chuala Neansaí trup sa tseomra agus rith sí isteach.

Bhí Bríd Óg ina seasamh ar an urlár agus scanradh ina haghaidh.

'Ar thoisigh tú, a Bhríd, a thaisce?' ar sise.

'Thoisigh, a Neansaí. Cuir scéala síos go gasta fá choinne Shisí.'

Rith Neansaí amach go dtí an scioból ag Padaí agus d'iarr air a ghabháil síos agus inse do Shisí Mhícheáil a theacht go gasta.

D'fhulaing Bríd Óg na pianta céanna a fuair achan bhean. Ba é a chéad bhreith aici é agus bhí sé maslach agus crua. Thart fá mheán lae lá arna mhárach chuir Sisí mac óg folláin, le gruaig ghalánta rua air, isteach in dhá lámh Bhríd Óg agus dúirt: 'Is cosúil go bhfuil Seárlaí Rua eile againn sa Ghleann!' Agus bhí achan duine chomh sásta go raibh mamaí agus a babaí beag slán.

'Anois, a Bhríd Óg, a thaisce,' arsa Sisí. 'Tá tú i ndiaidh am crua a chur isteach. Bhéarfaidh mise agus Neansaí linn an babaí beag amach go dtí an teas agus glanfaidh muid suas é agus is í an chomhairle atá mé ag gabháil a chur ort ná scíste beag a ghlacadh agus na súile a dhruid tamall, mar cha mhaireann an suaimhneas agus an ciúnas seo i bhfad, nó tá an boc seo ag ithe a chuid méar!'

D'fhág an bheirt an seomra agus rinne Bríd Óg mar a hiarradh uirthi. Nuair a d'fhoscail sí a súile am inteacht ina dhiaidh sin, bhí fear ard ina shuí ag taobh na leapa agus aoibh air siar go dtí an dá chluais. Shín sí amach a lámh chuige agus las a haghaidh.

'Ó, a Bhríd Óg, a stór mo chroí,' ar seisean. 'Rinne tú fear domh sa deireadh!' Agus thug sé póg mhór mhilis di.

— A CHRÍOCH —

Amhráin agus dánta atá luaite:

Tráthnóna Beag Aréir (Séamus Ó Grianna)
Beidh Aonach Amárach i gContae an Chláir (Ní fios cé a chum)
An Damhán Alla agus an Mhíoltóg (Dubhghlas de hÍde)
Stainnín Dinny Keown (Brian Ó Beirn)
Dónall Ó Maoláine (Ní fios cé a chum)
Méilte Cheann Dubhrann (Séamus Ó Grianna)
Tiocfaidh an Samhradh (Ní fios cé a chum)
Dónall Óg (Ní fios cé a chum)
An Chéad Mháirt d'Fhómhar (Séamus Ó Domhnaill)
Tá mo Chleamhnas á Dhéanamh (Ní fios cé a chum)
Paidí, a Ghrá (Ní fios cé a chum)
Maidin Dé Máirt (Ní fios cé a chum)